CHIARA CAG

Parliamo italiano
Lezioni di lingua italiana per stranieri

EDITORE ULRICO HOEPLI MILANO

Copyright © Ulrico Hoepli Editore S.p.A. 2008
via Hoepli 5, 20121 Milano (Italy)
tel. +39 02 864871 - fax +39 02 8052886
e-mail hoepli@hoepli.it

www.hoepli.it

ISBN 978-88-203-4096-4

Ristampa:

4 3 2 1 0   2008   2009   2010   2011   2012

Copertina: MN&CG S.r.l., Milano

Realizzazione editoriale: Thèsis Contents S.r.l., Firenze-Milano
Redazione: Marco Rosati
Impaginazione: Paola Lagomarsino

Revisione linguistica: Sara Radighieri

Stampa: Arti Grafiche Franco Battaia S.r.l., Zibido San Giacomo (Milano)

Printed in Italy

INDICE

TRACCE DEL CD-AUDIO

PREFAZIONE

Parliamo Italiano è un corso di lingua italiana come L2 per stranieri che vivono in Italia e che hanno una competenza linguistica di livello intermedio (livello B1 del Quadro comune europeo di riferimento per le lingue).

Il testo è concepito per un pubblico ampio e tiene conto della frequente disomogeneità del livello di competenza linguistica degli studenti: buone competenze comunicative, ma basso grado di accuratezza; buone conoscenze morfo-sintattiche, ma scarsa scioltezza espressiva ecc. Inoltre, la struttura del volume permette percorsi modulati in termini di sviluppo delle macroabilità linguistiche (ricezione orale e scritta, produzione orale e scritta, e interazione) all'interno di ogni Unità didattica. Basato su un approccio comunicativo, il corso è strutturato in 10 Unità e si articola su tematiche di interesse per chi vive e lavora in Italia fornendo uno stimolo a discussioni, riflessioni e confronti tra le diverse realtà di origine degli studenti: *Il lavoro, La salute, La città in cui vivo, Noi e gli altri.*

Ogni Unità sviluppa contenuti e aspetti della grammatica attraverso letture esplorative o intensive, esercizi di scrittura e completamento, attività di ascolto, discussioni di gruppo e giochi di ruolo. Le letture proposte, adattamenti di testi autentici, offrono una varietà di tipi testuali (narrativo, descrittivo, espositivo) consentendo allo studente di confrontarsi con i vari aspetti della comunicazione.

La sezione *Lavoriamo sulla lingua* offre un momento di riflessione grammaticale sulle strutture linguistiche di volta in volta affrontate all'interno di ogni Unità. Le regole grammaticali non sono fornite a priori, ma si richiede allo studente di ricavarle dai testi, tramite un procedimento di generalizzazione, per poi utilizzarle attraverso esercitazioni mirate. Questo tipo di approccio stimola le facoltà di analisi, motiva chi studia e crea le condizioni per un apprendimento più integrato e approfondito.

Il *Riepilogo grammaticale*, a fine Unità, sintetizza in modo semplice e puntuale tutte le strutture grammaticali presentate. Questa sezione, corredata di una serie di *Esercizi*, permette la rapida ed esauriente consultazione e la revisione delle principali strutture della lingua italiana. Essa può costituire, a discrezione dell'insegnante, uno strumento utile per esercitazioni in classe o individuali a casa.

Per ogni Unità didattica sono previsti uno o più esercizi di ascolto (il numero della traccia corrispondente nel CD-Audio è segnalato sul testo) che contribuiscono all'approfondimento della realtà socioculturale italiana o della problematica affrontata.

In fondo al volume le *Soluzioni degli esercizi*, che includono anche i testi degli ascolti, consentono agli studenti di monitorare personalmente il proprio livello di apprendimento, esonerando il docente dalla correzione degli esercizi più meccanici.

Un ringraziamento particolare a Sara Radighieri che ha incoraggiato il lavoro fornendo preziosi suggerimenti e consigli, e ha curato la revisione finale.

CHIARA CAGLIERIS

CONTENUTI

- Lessico relativo a professioni e ambienti di lavoro
- Descrivere un lavoro
- Identificare diversi tipi di lavoro
- Conoscere vari tipi di contratto di lavoro

GRAMMATICA

- Maschile, femminile dei nomi di mestieri e professioni
- Formazione dei nomi di mestieri e professioni da verbi e sostantivi
- Presente, passato prossimo e imperfetto dei verbi
- Uso del passato prossimo e dell'imperfetto dei verbi
- Preposizioni temporali

1. **Suddivisi in gruppi, guardando le immagini proposte elencate i nomi delle professioni e dei mestieri illustrati; discutete quindi dei pro e dei contro di ognuno di essi e descrivete come ciascuno si svolge. Infine, parlate delle vostre esperienze di lavoro in Italia e nel vostro paese d'origine.**

trade / *job/craft*

match

2. Abbinate a ciascun/a mestiere/professione il relativo ambiente di lavoro.

1. Infermiere *d*
2. Poliziotto *i*
3. Avvocato *b*
4. Meccanico *a*
5. Operaio *f*
6. Commessa *d*
7. Muratore *g*
8. Maestro *c*
9. Impiegato *h*

a. Officina
b. Tribunale
c. Scuola
d. Negozio
e. Ospedale
f. Fabbrica
g. Cantiere *building site*
h. Ufficio
i. Questura *police headquarter*

3. Abbinate ciascuna descrizione al nome del mestiere o della professione cui si riferisce.

1. Meccanico . . . . .
2. Operaio/a . . . . .
3. Impiegato/a . . . . .
4. Infermiere/a . . . . .
5. Camionista *lorry driver* . . . . .
6. Cameriere/a . . . . .
7. Commesso/a *shop assistant*

Mi piace il mio lavoro perché adoro i motori. È un po' pesante, però prima lavoravo in fabbrica con contratti a termine mentre adesso lavoro in proprio; guadagno bene, *earn* non devo timbrare il cartellino, *clock in* anche se mi devo lavare la tuta *overalls* tutti i giorni!
self employed

Mi è sempre piaciuto prendermi cura degli altri fin da bambino e il mio lavoro mi dà molte soddisfazioni, anche se è pesante perché siamo sempre di corsa e, spesso, lavoriamo con il personale ridotto. Lo stipendio non è male. Certo che lavorare con persone malate richiede molta pazienza!

Mi piace il mio lavoro, perché sono sempre a contatto con la gente. Corro tutto il tempo, perché i clienti vogliono essere serviti in fretta. L'unico svantaggio del mio mestiere riguarda le ferie: non posso mai prenderle nei giorni di festa.

Mi piace guidare e vedere luoghi diversi: di solito trasporto piastrelle e vado spesso in Spagna. L'unico che si lamenta è mio marito, perché non ci vediamo mai.

Sono giovane e non ho voluto studiare molto. Sono contento di avere trovato questo lavoro, anche se la busta paga non mi basta mai! Mi piace servire i clienti, anche se qualche volta sono proprio maleducati!

Il mio lavoro è ripetitivo e pesante. Faccio i turni, così a volte devo lavorare di notte. Meno male che le colleghe sono simpatiche e il caporeparto non è dei peggiori.

Il mio lavoro non è faticoso fisicamente, però è stressante. Devo stare tutto il giorno davanti al computer, rispondere ai clienti e compilare moduli. Meno male che tra un po' vado in pensione!

4. Completate le frasi usando le parole e le espressioni seguenti.

Salary

> a termine • stipendio • in proprio • pensione • turni • ferie •
> busta paga • cartellino • caporeparto • personale

told off   *boss*   *slow*

1. Ieri sono stato sgridato dal mio ..*caporeparto*.. perché ero lento.
2. Nella fabbrica dove lavoro bisogna marcare il ..*cartellino*... prima della pausa pranzo.
3. Mia moglie lavora in banca e ha un bello .*stipendio*........., guadagna più di me!
4. Anche questa volta mi hanno fatto un contratto ...*a termine*......... di sei mesi, non ne posso più! *can't take it.*
5. Volevo tanto lavorare ..*in proprio*......., per questo ho aperto un piccolo ristorante.
6. Il prossimo anno mio padre andrà in ..*pensione*......... e tornerà a vivere in Sicilia.
7. Prendo la ...*busta paga*...... il 15 di ogni mese, ma il 30 già non ho più soldi!
8. Quando prendi le *ferie (holidays)*? – Non posso scegliere, la fabbrica chiude in agosto.
9. All'ospedale devo spesso fare i .....*turni (shift)*. di notte una settimana al mese.
10. La mia fabbrica ha ridotto il ..*personale*.......... e venti colleghi hanno perso il posto di lavoro.

5. TRACCIA 02 Ascoltate il dialogo tra Stefania e Narinder, due amiche che si incontrano dopo molto tempo che non si vedevano e parlano di lavoro.

6. TRACCIA 02 Riascoltate il dialogo e completate il brano seguente usando le parole di Stefania e Narinder.

Stefania e Narinder sono due amiche che non si vedono da ....
Narinder non lavora più fuori città perché è stata ...., adesso lavora in una .... materna. Il nuovo lavoro le piace molto, lavora come ....
Stefania invece fa sempre il solito .... in pasticceria. Non le piace, ma è contenta perché ha un contratto ....

little job   *hard job*

7. Completate i testi seguenti utilizzando i termini *lavoretto/i* e *lavoraccio*.

1. Da quando è nata mia figlia non lavoro più, faccio solo qualche .*lavoretto*..........

2. Mi sono diplomata due anni fa, ma continuo a fare solo dei .*lavoretti*......... nei call center.

3. Ho dipinto tutto l'appartamento in due giorni, è stato proprio un ..*lavoraccio*., certo che la casa sembra nuova!

4. Devo essere al lavoro alle sette *unload*
e comincio subito a <u>scaricare</u> i camion.
Non mi fermo fino alla pausa pranzo e il
pomeriggio ci sono i camion da <u>caricare</u>!
Certo è proprio un ..*lavoraccio*......⟩

unload   *un tir = un camion*

5. La raccolta della frutta è proprio
un ..*lavoretto. lavoruccio*..ma almeno
guadagno i soldi per le tasse
universitarie.

8. **Prendendo spunto dal dialogo tra Stefania e Narinder proposto nell'esercizio 5, discutete rispondendo alle seguenti domande.**

1. Quale tipo di contratto di lavoro hanno Stefania e Narinder? . . . .
. . . .

2. Conoscete altri tipi di contratto di lavoro? . . . .
. . . .

3. Nel vostro paese, quali tipi di contratto di lavoro esistono? . . . .
. . . .

9. **Con l'aiuto dell'insegnante, leggete le seguenti descrizioni dei vari tipi di contratto di
lavoro previsti in Italia.**

Formazione lavoro

È un tipo di contratto nel
quale il datore di lavoro si
impegna a fornire
la formazione professionale sulla base di specifici
"progetti formativi"
ai neoassunti (di età compresa tra i 16 e i 32 anni).
Esistono due tipi di contratto formazione lavoro:
A, durata 24 mesi, 80 o 130
ore di formazione;
B, durata 12 mesi, almeno
20 ore di formazione.

Per informazioni:
Centro per l'impiego della
propria Regione e
Provincia.

Apprendistato
longer

È un contratto che dura minimo 18 mesi e massimo 4
anni in cui il giovane (di età
compresa tra i 15 e i 24 anni) riceve da parte del datore di lavoro la formazione
necessaria per diventare un
lavoratore qualificato.
L'apprendista deve frequentare corsi di formazione
al di fuori della ditta per
almeno 120 ore nell'anno.

Per informazioni:
Centri per l'impiego della
propria Regione e Provincia
e uffici di informazione e
orientamento degli
assessorati della propria
Regione e Provincia.

Tirocinio
shorter (only 4 mths)

È un'esperienza formativa
sul posto che permette al
giovane di fare esperienza
direttamente nel contesto
di lavoro. La durata non
può superare i 4 mesi (24
per i portatori di handicap).
Il tirocinio non comporta
l'obbligo di retribuzione da
parte del datore di lavoro.

Per informazioni:
Centri per l'impiego,
Informagiovani, Università
e Associazioni sindacali.

Part-time

È un normale contratto con orario di lavoro ridotto in base a quanto previsto dalla legge. Il *part-time* deve risultare da un contratto fra datore di lavoro e lavoratore nel quale compaia chiaramente la definizione dell'orario ridotto. La retribuzione e i contributi previdenziali sono proporzionali alle ore di lavoro previste dal contratto. I lavoratori *part-time* nel caso di assunzione a tempo pieno hanno il diritto di precedenza.

Per informazioni:

Centri per l'impiego della propria Regione e Provincia, Organizzazioni sindacali, Patronati a Associazioni dei datori di lavoro.

Lavoro temporaneo *(temp)*

È un rapporto di lavoro temporaneo (chiamato anche "contratto di lavoro in affitto") tra il lavoratore, l'agenzia di lavoro temporaneo o interinale e la ditta che ha bisogno del lavoratore. Il contratto è valido per tutti i tipi di lavoro. Il lavoratore è assunto dall'agenzia e pagato dall'agenzia di lavoro alla quale è iscritto.

Per informazioni:

Agenzie di lavoro interinale iscritte nell'apposito albo riconosciuto dal Ministero del lavoro (www.minilavoro.it).
vu, vu, vu

Adattamento da "Il formalavoro", Ministero del lavoro e delle politiche sociali.

contratto permanente -

10. **Dopo aver letto le descrizioni dei tipi di contratto proposte nell'esercizio 9, leggete il contenuto dei fumetti e stabilite il tipo di contratto cui ciascuno di essi si riferisce.**

Ho 39 anni. Mi sono rivolta a un'agenzia per trovare lavoro come impiegata bilingue presso una ditta. Mi hanno trovato lavoro per sei mesi nel settore commerciale di una ditta tessile e spero di venire assunta in futuro con un contratto a tempo indeterminato.

Ho 26 anni e da un anno lavoro in una ditta edile. Per contratto devo seguire molte ore di formazione organizzate dalla ditta. Sono stato assunto come responsabile del servizio di prevenzione e protezione.

1. *Lavoro temporaneo*

2. *Formazione lavoro*

Ho 42 anni e due figli. Lavoro dalle 8 alle 13 nella biblioteca del mio quartiere.

Ho 19 anni e lavoro da sette mesi come cassiere in un supermercato. Frequento anche un corso di orientamento sui rapporti con i clienti organizzato dalla mia Regione.

3. *P. t*

4. *Apprendistato*

11. a. Con l'aiuto dell'insegnante stabilite il significato delle espressioni seguenti.

diritti sociali • rappresentanza sindacale • in affitto • oneri contributivi

b. Quindi cercate rapidamente nell'articolo proposto di seguito le espressioni di cui avete discusso il significato e verificatelo nel contesto da cui sono tratte.

1] Quarantotto è il numero delle differenti modalità di lavoro atipico che l'Istat ha individuato nel nuovo quadro regolamentare emerso con l'approvazione della legge n. 30/2003. Il numero viene fuori combinando la maggiore o minore **stabilità** del contratto, la durata dell'orario di lavoro, la presenza di diritti sociali pieni o ridotti.

2] Dietro questo numero c'è la **precarietà** del lavoro che diventa precarietà dell'esistenza; l'elevato rischio di entrare nel **rango** dei lavoratori e dei pensionati poveri; l'individualizzazione dei rapporti di lavoro che rende difficile la rappresentanza sindacale; dopodiché si accusano i sindacati di non essere abbastanza rappresentativi del mondo dei nuovi lavori.

3] E anche la Confindustria incomincia a preoccuparsi. Perché? Perché alcuni imprenditori e dirigenti hanno cominciato a fare i conti per **stabilire** se e in quale misura convenga utilizzare contratti di lavoro atipici, sinonimo di occupazione flessibile o precaria. Stanno scoprendo che la fattura per il costo di lavoratori presi in affitto da una ditta di somministrazione da cui i lavoratori da affittare dipendono sarà composta, salvo errore, dalle seguenti voci, esplicite o implicite: il costo dei lavoratori affittati, **comprensivo** degli oneri contributivi, previdenziali, assicurativi e assistenziali; il recupero del costo da pagare ai dipendenti nei periodi in cui questi non sono impiegati presso un utilizzatore (350 euro mensili, più i relativi oneri contributivi); il recupero del contributo del 4 per cento che l'**impresa** deve versare a un fondo bilaterale costituito tra le imprese di somministrazione di lavoro; il recupero delle spese di gestione dell'impresa; più, ovviamente, un equo profitto sul capitale impegnato. Quindi in totale una simile fattura presentata dall'impresa somministratrice di lavoro all'impresa utilizzatrice potrebbe costare a quest'ultima, per ogni giornata o mese di lavoro/persona, tra il 50 e il 100 per cento in più del normale costo del lavoro.

Per non parlare del caos organizzativo creato dalla presenza nella stessa ditta o fabbrica di numerosi lavoratori assunti con differenti contratti di lavoro.

4] È risaputo che il **proliferare** del lavoro precario ha effetti negativi sulla qualità della vita. **Nuoce** anche alla salute: centinaia di medici e di operatori sociali se ne stanno occupando in varie città italiane. Se poi si scopre che nuoce anche alle aziende, si può forse immaginare un interessante tavolo di discussione e contrattazione tra i nuovi **vertici** di Confindustria, le imprese e i sindacati.

Adattamento da Luciano Gallino,
"La Repubblica", 5 giugno 2004.

PAROLE UTILI
stabilità: qualità dell'essere durevole, costante, immodificabile
precarietà: qualità dell'essere provvisorio, instabile, non durevole
rango: schiera, fila, gruppo di simili
stabilire: valutare, decidere
comprensivo: che include, che comprende
impresa: ditta
proliferare: espandersi, moltiplicarsi
nuoce: danneggia
vertici: i livelli più alti delle amministrazioni

c. Suddivisi in gruppi, leggete velocemente l'articolo e sceglietegli un titolo.

d. Leggete di nuovo l'articolo con attenzione. Il titolo da voi scelto risulta appropriato?

e. Infine, scegliete tra le seguenti l'affermazione corretta.

1.
- a. La legge sul lavoro prevede 48 tipi di contratti di lavoro.
- b. "48" è il nome dato ai lavori atipici.

2.
- a. Molti tipi di contratti significano precarietà e insicurezza per il lavoratore.
- b. Molti tipi di contratti offrono molte possibilità di lavoro.

3.
- a. I dirigenti e gli imprenditori sono preoccupati perché i lavoratori atipici sono cari e causano problemi organizzativi.
- b. I dirigenti e gli imprenditori sono preoccupati perché i lavoratori atipici non sono abbastanza flessibili.

4.
- a. La flessibilità e la precarietà del lavoro fanno male alla salute delle persone.
- b. La flessibilità e la precarietà del lavoro fanno male alla salute delle persone, ma fanno bene alle imprese.

LAVORIAMO SULLA LINGUA

12. Completate la tabella scrivendo per ogni professione il corrispondente maschile o femminile mancante completo del relativo articolo determinativo.

Femminile	Maschile	Femminile	Maschile
La maestra	*Il maestro*		L'autista
L'insegnante			Il camionista
	Il commerciante		Il preside
La collega		La direttrice	
La fotografa		La pittrice	
L'infermiera			L'impiegato
	Il pasticciere		Il presidente
La dentista			L'elettricista
	Il custode		Il ricercatore
	Il ragioniere	La giornalista	

13. Scrivete nella colonna rispettiva i nomi di professioni derivanti da ciascuno dei verbi elencati.

collaborare • leggere • insegnare • vendere • cantare • tornire • giocare • commerciare • scrivere • dirigere (2) • agire • lavorare • amministrare

-tore/-trice	-ante/-ente
1. *Collaboratore/Collaboratrice*	1.
2.	2.
3.	3.
4.	4.
5.	5.
6.	6.
7.	
8.	

14. Scrivete nella colonna rispettiva i nomi di professioni derivanti da ciascuno dei sostantivi elencati.

> turno • posta • auto • parrucca • macello • macchina • fuoco • dente •
> giornale • barba • forno • tabacco

-ista

1. ....
2. ....
3. ....
4. ....
5. ....
6. ....

-aio/-aia

1. ....
2. ....
3. ....

-iere/-iera

1. ....
2. ....

-ino/-ina

1. ....

15. Completate le frasi concordando gli aggettivi con i nomi loro riferiti.

1. È dura trovare lavoro di quest...... tempi in Italia.
2. L'anno scors...... oltre 300.000 posti di lavoro sono sparit.......
3. Oggi un giovane su tre è disoccupat...... Sono oltre 2 milioni le persone italian...... e stranier...... in cerca di un lavoro, e ormai si tratta perlopiù di lavori precar.......
4. Nel Sud la percentuale di disoccupati è molto più alt......: il 19%, con un tasso di disoccupazione giovanil....... intorno al 52%.

16. Completate il brano coniugando i verbi indicati tra parentesi nei tempi corretti.

Ahmed fino alla settimana scorsa (1) .... (lavorare) come cameriere in una pizzeria; (2) .... (essere) velocissimo, (3) .... (servire) ai tavoli con grazia e gentilezza e tutti (4) .... (essere) molto soddisfatti, padroni e clienti. Poi, improvvisamente, (5) .... (licenziarsi) e nessuno (6) .... (capire) il perché. A tutti gli amici (7) .... (dire) sempre che gli (8) .... (piacere) moltissimo il suo lavoro, che la paga (9) .... (essere) buona e le mance non (10) .... (mancare) E allora perché?
Gli amici non (11) .... (essere) riusciti a fargli dire nulla, Ahmed (12) .... (rifiutarsi) di parlarne con loro.
Tutti i giorni (13) .... (alzarsi) alle sette e non (14) .... (tornare) a casa fino a sera.
Un giorno uno dei suoi amici (15) .... (decidere) di seguirlo per conoscere il suo segreto. Così quando la mattina Ahmed (16) .... (uscire) di casa, lui lo (17) .... (seguire) di nascosto. E (18) .... (volere) sapere che cosa (19) .... (scoprire)?
Ahmed (20) .... (iscriversi) a un corso in un istituto alberghiero per diventare cuoco, e dopo la scuola (21) .... (andare) in un ristorante del centro per fare pratica come aiuto cuoco. "Perché non ce lo (22) .... (dire)? Che cosa c'è di male?" – (23) .... (chiedere) gli amici. "Non (24) .... (volere) dire nulla perché (25) .... (avere) paura di non superare l'esame, (26) .... (sapere), non è facile rimettersi a studiare e poi con tanti ragazzi molto più giovani di me! Però sono molto contento perché a scuola (27) .... (andare) bene e finalmente (28) .... (potere) fare la cosa che ho sempre sognato: lavorare con i cibi, con i loro colori, sapori e odori".

RIEPILOGO GRAMMATICALE

■■■IMPERFETTO

	cantare	prendere	capire
Io	cantavo	prendevo	capivo
Tu	cantavi	prendevi	capivi
Lui/Lei	cantava	prendeva	capiva
Noi	cantavamo	prendevamo	capivamo
Voi	cantavate	prendevate	capivate
Loro	cantavano	prendevano	capivano

Verbi irregolari

essere	ero, eri, era, eravamo, eravate, erano
avere	avevo, avevi, aveva, avevamo, avevate, avevano
bere	bevevo, bevevi, beveva, bevevamo, bevevate, bevevano
dare	davo, davi, dava, davamo, davate, davano
dire	dicevo, dicevi, diceva, dicevamo, dicevate, dicevano
fare	facevo, facevi, faceva, facevamo, facevate, facevano

Verbi in -rre

tradurre	traducevo, traducevi, traduceva, traducevamo, traducevate, traducevano
trarre	traevo, traevi, traeva, traevamo, traevate, traevano

Usi dell'imperfetto

Parlando al passato, l'imperfetto è usato soprattutto per:

- presentare azioni abituali
  Ogni estate tornavo al mio paese.

- indicare sommariamente una situazione, il contesto di un evento, le condizioni generali, l'atmosfera; all'interno di questo quadro, per indicare le azioni rilevanti compiute si usano il passato prossimo o il passato remoto
  Ho imparato l'arabo quando vivevo a Rabat.
  Lavoravo troppe ore, guadagnavo poco, per questo ho cambiato lavoro.

- descrivere condizioni, stati d'animo o fisici con i verbi di stato
  Era molto solo.
  Faceva molto caldo.
  Stava male in Italia.

N.B.

Con espressioni temporali di durata in riferimento al passato si usano il passato prossimo o il passato remoto:
Ho studiato italiano dal 2001 al 2003.
Ho lavorato in quella ditta per cinque anni.
La ristrutturazione dell'università durò da gennaio a novembre.

Altri usi

- Richieste cortesi
  Desiderava?
  Pronto, sono la signora Ferri, volevo parlare con...

- Per esprimere eventualità/possibilità nel passato
  Potevi scrivere. (ma non hai scritto)
  Dovevi cambiare subito lavoro. (ma non l'hai fatto)

Uso dei verbi modali all'imperfetto

Doveva partire presto

- e quindi è partita presto;
- però non si è svegliata in tempo ed è partita tardi.

Volevamo mangiare poco

- e in effetti abbiamo mangiato solo un'insalata;
- invece ci siamo abbuffati.

Potevate dormire fini a tardi

- e avete dormito sino alle 11;
- invece vi siete alzati presto come tutte le mattine.

N.B.
Generalmente, quando si usa l'imperfetto la frase necessita di un completamento altrimenti il significato potrebbe non risultare chiaro.

◼◼◼ DERIVAZIONE DEI NOMI D'AGENTE DA VERBI E SOSTANTIVI

Per derivare un nome d'agente (cioè, di chi fa un'azione, di chi svolge una professione o un lavoro) da un verbo si usano i suffissi:

-tore (maschile)/**-trice** (femminile)
importare ‹ importa**tore**/importa**trice**
lavorare ‹ lavora**tore**/lavora**trice**
vendere ‹ vendi**tore**/vendi**trice**

-ante/-ente (invariabili)
insegnare ‹ insegn**ante**
dirigere ‹ dirig**ente**

-ino (maschile)/**-ina** (femminile)
spazzare ‹ spazz**ino**/spazz**ina**

Per derivare un nome d'agente da un sostantivo si usano invece i suffissi:

-ista (invariabile)
piastrella ‹ piastrell**ista**

-aio (maschile)/**-aia** (femminile)
forno ‹ forn**aio**/forn**aia**

-ario (maschile)/**-aria** (femminile)
biblioteca ‹ bibliotec**ario**/bibliotec**aria**

-iere (maschile)/**-iera** (femminile)
salume ‹ salum**iere**/salum**iera**

◼◼◼ PREPOSIZIONI TEMPORALI

A   – momento esatto dell'azione
         A che ora parte il treno? – Parte alle tre. **(quando?)**

Da   – durata dell'azione
         Majida è in Italia da un anno. **(da quanto tempo?)**

In   – spazio di tempo entro il quale si svolge l'evento
         Non ha lavorato in questi ultimi due mesi. **(per quanto tempo?)**

Per   – durata di un evento
         Andiamo in Marocco per un mese. **(per quanto tempo?)**
         – termine di tempo nel futuro
         La data del colloquio è fissata per il mese prossimo. **(per quando?)**

Tra/Fra – intervallo tra due momenti
         Andiamo in ferie tra/fra il 21 e il 30 di luglio. **(quando?)**

∎∎∎ ESERCIZI

1. **Completate le frasi seguenti coniugando al passato i verbi indicati tra parentesi.**

1. Quando .... (io, arrivare) alla stazione alle sette, il treno non .... (esserci) più. .... (io, dovere) aspettare un'ora per prendere il treno successivo.

2. Ieri, quando .... (tu, telefonare) nessuno ti .... (rispondere) perché in quel momento .... (io, dormire) e mio fratello non .... (essere) in casa.

3. Se ti .... (sentire) così male, ... (potere) chiamare un medico, no?

4. Ti sbagli, nostro cugino .... (rimanere) in Germania dal 1992 al 2003.

5. Adesso mia madre è molto invecchiata e non esce più di casa, ma prima .... (uscire) tutti i giorni.

6. Mia sorella .... (studiare) l'arabo per cinque anni eppure non lo parla bene.

7. Adesso che abito vicino al centro vado al lavoro in bicicletta, ma prima quando .... (io, vivere) in periferia, ... (dovere) usare la macchina.

8. .... (io, sapere) da Anna che .... (essere) tornata dalle vacanze.

9. Quando .... (io, entrare) in classe la lezione .... (essere) già incominciata e la professoressa .... (spiegare) l'imperfetto. Lei mi .... (guardare) ma non .... (dire) niente.

10. Ieri .... (i miei amici, andare) al mercato a Bologna per comprare dei vestiti, ... (io, avere) il raffreddore e .... (rimanere) a casa da solo.

2. **Completate le coppie di frasi seguenti coniugando correttamente il verbo indicato tra parentesi (fate attenzione a quando usare l'imperfetto e quando il passato prossimo).**

1. Maria e Amed .... (conoscersi) in Marocco tre anni fa e adesso vivono insieme a Roma.
   Nel 1997 non .... (io, conoscere) ancora mio marito.

2. .... (tu, potere) chiamarmi a casa e io sarei venuta a prenderti alla stazione!
   Non .... (potere) venire a prenderti perché ero a letto con la febbre.

3. Non .... (io, sapere) che è stata in ospedale. Che cosa è successo?
   Luisa .... (sapere) del mio arrivo da Paolo ed è venuta subito a salutarmi.

4. .... (io, dovere) portare mia figlia al pronto soccorso perché si è rotta un piede.

.... (tu, dovere) fare un colloquio di lavoro, perché non sei andato?

3. Completate il brano seguente coniugando al passato prossimo o all'imperfetto il verbo indicato tra parentesi.

(1) .... (io, sentire) la sveglia e (2) .... (alzarsi), (3) .... (andare) subito in bagno, (4) .... (fare) la doccia e (5) .... (vestirsi). Poi (6) .... (andare) in cucina, (7) .... (preparare) il caffè e lo (8) .... (bere) velocemente.
(9) .... (salire) in macchina, (10) .... (mettere) in marcia e (11) .... (partire) come un razzo perché (12) .... (essere) come sempre in ritardo.
Al lavoro non (13) .... (esserci) ancora il mio capo, per fortuna! (14) .... (accendere) il mio computer e (15) .... (incominciare) a lavorare. Il tempo (16) .... (passare) e non (17) .... (venire) nessuno. Che strano! I miei colleghi sono persone puntuali e non arrivano mai in ritardo. (18) .... (continuare) a lavorare e il telefono non (19) .... (squillare) neanche una volta! Molto strano! Poi, per caso, (20) .... (guardare) la data del calendario alla parete e... non (21) .... (potere) credere ai miei occhi: (22) .... (essere) domenica!

4. Completate le frasi seguenti derivando nomi di professioni o mestieri dai termini indicati tra parentesi.

1. La mia ditta cerca due .... (programmare); con la tua esperienza, perché non fai domanda?
2. Molti giovani d'estate lavorano come .... (animare) nei villaggi turistici: è un modo per guadagnare qualcosa facendo anche un po' di vacanza.
3. Molte .... (collaborare) domestiche ora vengono dai paesi dell'Est.
4. Di questi tempi per fare la .... (centralino) in un hotel bisogna conoscere l'inglese.
5. Mario ha sempre amato la natura e adesso fa il .... (fiore).
6. Gli .... (elettricità) hanno sempre tanto lavoro e il loro è un mestiere che rende molto.
7. La mia ragazza ha studiato per diventare .... (scenografia) ma non riesce a trovare lavoro.
8. Molti giovani dopo gli studi devono fare gli .... (stage) per anni senza essere pagati per poter trovare lavoro.
9. La mia .... (parrucca) ha iniziato a lavorare a 14 anni e ora è stanca del suo lavoro e vuole ricominciare a studiare.
10. Gli .... (operare) sanitari lavorano molto e non guadagnano bene.

5. Trasformate i nomi seguenti in altrettanti nomi di professioni o mestieri utilizzando i suffissi *-aio, -ista, -ario, -iere, -ano*.

1. Giornale   ....
2. Dente   ....
3. Magazzino   ....
4. Fiore   ....
5. Arte   ....
6. Giardino   ....
7. Orologio   ....
8. Macello   ....
9. Piano   ....

6. Completate le frasi seguenti inserendo le preposizioni *tra*, *da*, *per*, *in*, *a* (anche articolate).

1. Non posso restare a casa tua per molto perché .... due devo andare a fare la spesa.
2. La mia amica Cornelia rimane a casa mia .... una settimana e poi va in Francia .... tre giorni.
3. Amel vive in Italia .... un anno e già parla italiano molto bene.
4. .... qualche mese finirò questo lavoro e riprenderò a studiare.
5. .... quanto tempo hai lavorato per questa ditta?
6. La lezione finisce .... dieci minuti, meno male perché sono molto stanca!
7. Ho studiato l'arabo .... cinque anni e non riesco a dire una parola!
8. .... quanto sei qui che aspetti? – .... circa un quarto d'ora.
9. Carolina è ospite da noi .... tre giorni e poi andrà a casa di una sua amica .... il fine settimana.
10. .... qualche giorno inizia la bella stagione!
11. .... questi ultimi giorni ho incontrato Maria almeno tre volte.
12. Il clima rimarrà molto caldo ancora .... una settimana e poi ci sarà un cambio della temperatura. Già .... metà settimana la stagione autunnale avrà inizio.
13. .... 1921 Antonio Gramsci fonda il Partito Comunista Italiano.
14. Credo che Majida sia tornata .... un mese.

CONTENUTI

- I Centri per l'impiego e le agenzie di lavoro interinale
- Comprendere gli annunci di lavoro
- Rispondere a un annuncio di lavoro
- Preparare un C.V.

GRAMMATICA

- Congiuntivo presente per esprimere giudizi e opinioni (*penso che...*, *credo che...*)
- Indicativo e congiuntivo presente
- Nomi derivati da aggettivi

1. Stabilite con l'aiuto dell'insegnante il significato delle espressioni seguenti.

> *servizi erogati • sviluppare le competenze • verificare le competenze • promuovere il tirocinio • favorire la crescita professionale • facilitare l'accesso*

2. Leggete le informazioni tratte dal sito Internet di Adecco, un'agenzia interinale italiana (Documento 1), e da quello del Centro per l'impiego della Provincia di Modena (Documento 2).

Documento 1

I nostri 6 impegni per i candidati e i lavoratori

1 **Offrirti un lavoro su misura.** Adecco s'impegna a valutare e condividere insieme a te le tue esperienze professionali, per proporti un lavoro che corrisponda alle tue aspettative. Le tue competenze vengono condivise nel documento *Profilo professionale*, che ti viene consegnato a partire dalla prima missione di lavoro o su tua espressa richiesta.

2 **Informarti in tempo per darti continuità lavorativa.** Adecco s'impegna a informarti prima possibile sul proseguimento della tua missione di lavoro o a trovarti, in alternativa, una nuova occupazione tenendoti sempre aggiornato sulle ricerche in corso.

3 **Sviluppare le tue competenze.** Adecco s'impegna a realizzare e a proporti* un *Bilancio professionale* (se hai lavorato 1800 ore nel corso degli ultimi 12 mesi). Adecco utilizza tutti i mezzi messi a disposizione (orientamento, valutazioni individuali, varietà di missioni, formazione) per aiutarti a crescere professionalmente ed economicamente.

* A partire da novembre 2004 e su tua esplicita richiesta.

4 **Aiutarti a prevenire gli incidenti sul lavoro.** Adecco s'impegna a informarti sui rischi relativi alla sicurezza e alla salute sul posto di lavoro e a sensibilizzare l'azienda in cui sei impiegato. Nel caso in cui venissero meno le condizioni sicurezza*, ti garantiremo l'interruzione della missione e, in attesa di altre offerte di lavoro, il trattamento retributivo concordato fino alla naturale scadenza del contratto sottoscritto.

* Secondo le previsioni di cui al D.Lgs. 626/94 e successive modificazioni e integrazioni.

5 **Selezionarti senza discriminazioni.** Adecco s'impegna a selezionarti senza discriminazione alcuna e senza pregiudizi (religione, origine, genere, età o condizioni di salute) e a valutare insieme eventuali comportamenti discriminatori.

6 **Offrirti tutti i benefici e i vantaggi di un dipendente Adecco.** Adecco s'impegna a facilitarti l'accesso a una serie di vantaggi e benefici quali: accesso al credito, sconti su beni di consumo, formazione, prestiti bancari, assicurazioni personali, servizi sanitari, viaggi, benessere e salute.

Con Adecco hai la possibilità di:

- trovare il lavoro che più corrisponde alle tue esigenze;
- costruire il tuo futuro professionale attraverso diverse esperienze lavorative nei più svariati settori di attività;
- perfezionare le competenze attraverso la formazione o acquisirne di nuove;
- avere un supporto e una consulenza qualificata durante l'intero arco della tua vita professionale.

Documento 2

Centro per l'impiego
della Provincia di Modena

✔ Accoglienza e informazione

Che cos'è

È un servizio finalizzato a favorire la conoscenza e l'accesso degli utenti ai servizi erogati dal Centro per l'impiego e a quelli presenti sul territorio.

A chi si rivolge

Adolescenti, giovani, disoccupati/e, inoccupati/e, donne in reinserimento lavorativo e persone che intendono cambiare occupazione.

✔ Preselezione

Che cos'è

È un servizio finalizzato a favorire l'incontro fra domanda e offerta di lavoro.

A chi si rivolge

Alle aziende e alle persone in cerca di lavoro, in particolare: adolescenti, giovani, disoccupati/e, inoccupati/e, donne in reinserimento lavorativo, persone che intendono cambiare occupazione e lavoratori in stato di mobilità.

✔ Tirocini formativi e di orientamento

Che cos'è

È un servizio finalizzato a promuovere il tirocinio come esperienza di formazione e orientamento che prevede l'inserimento del tirocinante in azienda. Il tirocinio mira ad agevolare l'incontro fra aziende e risorse umane, a favorire la crescita professionale del tirocinante e l'orientamento nelle scelte professionali mediante la conoscenza diretta del mondo del lavoro. Il tirocinio non costituisce un rapporto di lavoro e non è retribuito.

A chi si rivolge

Giovani disoccupati/e, inoccupati/e, lavoratori e lavoratrici in stato mobilità, studenti e persone con l'obbligo scolastico assolto. Aziende disponibili a ospitare tirocinanti.

✔ Servizio mediazione linguistico-culturale

Che cos'è

È un servizio finalizzato a facilitare agli utenti stranieri l'accesso ai servizi offerti dai Centri per l'impiego e dal territorio, grazie alla presenza di mediatori linguistico-culturali delle aree araba, anglofona e cinese.

A chi si rivolge

Cittadine e cittadini stranieri.

✔ Pari opportunità

Che cos'è

I servizi dei Centri per l'impiego vengono erogati con particolare attenzione alle opportunità previste per l'occupazione femminile.

A chi si rivolge

Donne in reinserimento lavorativo, occupate e inoccupate.

---

3. In riferimento ai testi proposti nell'esercizio 2, indicate nella tabella seguente i servizi offerti dall'agenzia interinale Adecco e quelli prestati dal Centro per l'impiego della Provincia di Modena.

	Adecco	Centro per l'impiego
Valutazione delle competenze e/o preselezione		
Preparazione del *Profilo professionale*		
Offerta di lavoro		
Servizio di interpreti o mediatori		
Selezione senza discriminazioni		
Informazioni sulle offerte di lavoro		
Orientamento nel mondo del lavoro		
Tirocini formativi		

4. Disponendovi a coppie, confrontate i dati emersi dallo svolgimento dell'esercizio precedente e commentateli. Quindi, rispondete alle domande seguenti.

1. Vi siete mai rivolti personalmente ad agenzie interinali e/o a Centri per l'impiego?
2. Se sì, vi sono stati di aiuto?
3. Consigliereste a un/a amico/a di rivolgersi ad agenzie interinali (job centres) e/o a Centri
   per l'impiego?

5. TRACCIA 03 Ascoltate l'intervista di un'operatrice di un Centro per l'impiego a una can-
didata e indicate se le affermazioni seguenti sono vere o false.

	V	F
1. La candidata è cittadina italiana. *no*	✓	
2. La candidata è appena arrivata in Italia. *no*		✓
3. La candidata cerca lavoro come segretaria. *no*		✓
4. La candidata ha esperienza di lavoro in Italia. *sì*	✓	
5. La candidata è diplomata. *sì*	✓	
6. La candidata è automunita. *sì*	✓	
7. La candidata può lavorare di notte. *sì*	✓	

6. TRACCIA 03 Riascoltate il dialogo e compilate la scheda seguente inserendovi i dati
mancanti.

SCHEDA INFORMATIVA

FILIALE MILANO   DATA 17/08/2007

Cognome: Tzechova   Nome: (1) ....

Luogo di nascita: Sofya   Data: (2) ....

Cittadinanza: (3) ....   Perm. soggiorno n°: 625-441

Tess. sanitaria n°: 42450290   Domicilio: (4) ....

Indirizzo: (5) ....   Telefono: 331 4423647

Tipo di documento: Carta Identità n° 40999344

Stato civile: (6) ....   Titolo di studio: (7) ....

Patente tipo: B   Autovettura: (8) Sì ■   No ■

Moto: (9) Sì ■   No ■   Altri mezzi di spostamento: (10) ....

Lavori precedenti: (11) ....
....

Corsi frequentati/Lingue conosciute: (12) ....
....

Disponibilità trasferimento: Sì

(13) Sabato: ....   Festività: ....   Notturno: ....   Turni: ....

Disponibilità trasferimento regionale: No   Preferenze: (14) ....

Attuale occupazione: (15) ....

Autorizzo espressamente il trattamento, la comunicazione e la diffusione dei dati che mi riguardano
in base alla legge 675/96.

                                                                       FIRMA
                                                                  I. Tzechova

---

7. Leggete le offerte di lavoro proposte di seguito, quindi indicate i sinonimi presenti nei testi dei termini e delle espressioni elencati.

SYNERGIE

Agenzia per il lavoro tra i leader europei per il lavoro interinale
ricerca urgentemente!

Rif. 322 – N. 2 tecnici commerciali per azienda nei pressi di Modena. Sono richiesti: esperienza nella contabilità di impresa, buona conoscenza della lingua inglese, disponibilità di trasferte, preferenziale il diploma di ragioniere. Contratto di sei mesi, scopo assunzione.

Rif. 421 – N. 1 addetto all'aggiustaggio con esperienza in sbavatura, satinatura, finitura manufatti in acciaio inox tramite lavorazioni manuali con l'uso di abrasivi di ogni genere. Discreta forza fisica e buona manualità per importante azienda metalmeccanica vicinanze Vignola. Contratto iniziale di sei mesi con possibilità di assunzione.

Rif. 578 – N. 1 progettista meccanico con esperienza pluriennale in progettazione Autocad 2D e 3C per azienda settore meccanico di Modena. Contratto di tre mesi più eventuali proroghe, scopo assunzione.

Rif. 399 – N. 1 addetta reception con ottima conoscenza della lingua inglese e di una seconda lingua straniera, disponibilità a turni diurni e nei week-end, ottime capacità di relazione con il pubblico. Contratto di tre mesi più proroghe da settembre. Scopo assunzione.

Rif. 222 – N. 1 saldatore a filo con esperienza almeno biennale, automunito e residente a Modena o provincia per aziende di Modena. Contratto di 4 mesi, scopo assunzione.

Rif. 983 – N. 3 addetti pulizie. Uomini o donne per una settimana inizio giugno per pulire case in montagna a Montecreto, preferibile domicilio in zona. Si valutano anche studenti maggiorenni.

1. Con auto propria . . . .
2. Nelle vicinanze . . . .
3. Spostamenti . . . .
4. Chi ha compiuto la maggiore età . . . .
5. Rinvii . . . .
6. Di due anni . . . .
7. Di molti anni . . . .
8. Finalità . . . .

8. Leggete le domande di lavoro seguenti e abbinate a ciascuna l'offerta più adatta tra quelle proposte nell'esercizio 7.

1. Diplomata, trentenne, single, referenziata, cerca lavoro come addetta reception di hotel. Disposta a turni, buona conoscenza del francese e dell'inglese. Conoscenza di base PC.   *Rif. . . . . . .*

2. Perito meccanico cerca lavoro in azienda seria. Esperienza pluriennale nel settore della metalmeccanica, esperto in finitura manufatti in acciaio. Disposto al lavoro a turni. *Rif.* . . . . . .

3. Studente ventenne, no esperienza, disponibile per lavori saltuari e stagionali. *Rif.* . . . . . .

4. Giovane diplomato ragioniere, ottima conoscenza lingue, con esperienza biennale in azienda metalmeccanica, cerca posizione in ditta seria. Disposto a trasferimenti all'estero se necessario. *Rif.* . . . . . .

9. **Leggete la lettera di candidatura seguente, quindi completate lo schema inserendo le informazioni mancanti.**

Milano 21/12/2007

Maria Cavallo
Via Buonaparte 21
20100 Milano

Spett. ditta "Il tuo colore"
Via Nazionale 45
20100 Milano

Oggetto: domanda di assunzione come commessa

Egregia Direttrice

In risposta al Vostro annuncio pubblicato ieri sul "Corriere della Sera" vorrei presentare domanda di lavoro presso la Vostra ditta.
Conosco i Vostri prodotti, che ritengo siano di alta qualità, e mi piace molto il Vostro stile allegro e giovanile. Io stessa sono una persona energica e solare che potrebbe corrispondere al Vostro profilo di commessa.

Ho 25 anni e ho lavorato *part-time* negli ultimi cinque anni come commessa in un negozio di abbigliamento di Gallarate.
Sono una persona precisa e ordinata e ho anche esperienza di cassa e di ordini.

Ho buona conoscenza dell'inglese e del francese, che ho studiato all'Istituto Professionale per il Turismo.
Sono disponibile anche per un lavoro a turni e sono interessata a partecipare a corsi di formazione.

Spero mi offriate la possibilità di un colloquio, in allegato troverete una mia foto e il mio *curriculum vitae*.
In attesa di una Vostra risposta porgo distinti saluti

Maria Cavallo

19

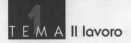

Formule di apertura
Egregio/a Sig./Dott./Dott.ssa/Prof./Prof.ssa
Gentili Signori
Egregia Direttrice

Oggetto
Domanda di assunzione come commessa

Riferimento
In riferimento/In risposta al Vostro annuncio sul (1) ....
Per un posto di (2) ....

Motivazioni
Conosco i vostri prodotti che (3) ....
e mi piace (4) ....

Caratteristiche del candidato (capacità professionali, esperienze)
(5) ....
....

Disponibilità del candidato (corsi di formazione, turni, *part-time*)
Sono disponibile anche (6) ....
Sono interessata (7) ....

Formule di chiusura
Spero che (8) ....
Nella speranza che la mia lettera venga...
In attesa di una Vostra risposta e che...
Porgo distinti saluti/cordialmente...

10. Scrivete una lettera di candidatura prendendo spunto dagli annunci proposti negli esercizi precedenti e/o da altri provenienti dai giornali.

....
....
....
....
....
....
....
....
....
....
....
....
....
....

11. Completate il *curriculum vitae* di Marco Mulè inserendo i termini seguenti (nel *curriculum vitae* – C.V. – devono essere elencate le esperienze di studio e/o lavoro più significative per il posto per il quale si fa domanda).

conoscenze • informazioni • diploma • interessi •studio • informatiche • esperienza • lavorativa

FORMATO EUROPEO PER IL CURRICULUM VITAE	
INFORMAZIONI PERSONALI	
Nome e Cognome:	Marco Mulè
Luogo e data di nascita:	Lodi, 12/04/1974
Residenza:	V. Caduti in Guerra 55, Milano
Telefono:	02/23 82 248
E-mail:	marco33@libero.it
Titoli di (1) ....:	(2) .... di ragioneria presso l'Istituto G. Verdi, conseguito nell'anno 1993.
ESPERIENZA (3)	
Dal 1999 al 2002:	(4) .... come addetto al controllo della qualità presso la ditta Sigma di Milano.
Dal 2002:	esperienza come assistente contabilità presso il Comune di Bergamo.
ISTRUZIONE E FORMAZIONE	
Ente promotore:	IFOPRO (Istituto Formazione Professionale)
Durata:	250 ore
Periodo:	ottobre/dicembre 1996
Titolo:	*Il tessuto economico dell'impresa italiana*
CAPACITÀ E COMPETENZE PERSONALI (5)	
linguistiche:	buona conoscenza dell'inglese, parlato e scritto buona conoscenza dello spagnolo, solo parlato
Conoscenze (6) ....:	uso del PC (Word, Excel ecc.)
ULTERIORI (7)	
Sport praticati:	nuoto e calcio
Vita associativa:	volontario per l'assistenza a domicilio del Comune di Bergamo
Altri (8) ....:	cinema, lettura e musica jazz
ALLEGATI	n.1

12. Sulla base del Formato europeo per il *curriculum vitae* (www.moduli.it) scrivete il vostro *curriculum vitae*.

FORMATO EUROPEO PER IL CURRICULUM VITAE	
INFORMAZIONI PERSONALI	
ESPERIENZA LAVORATIVA	
ISTRUZIONE E FORMAZIONE	
CAPACITÀ E COMPETENZE PERSONALI	
ULTERIORI INFORMAZIONI	
ALLEGATI	

LAVORIAMO SULLA LINGUA

13. Considerando che negli annunci si usano i nomi derivati da aggettivi (anziché gli aggettivi stessi) per descrivere i requisiti del candidato (per esempio "puntualità" invece di "puntuale"), completate l'offerta di lavoro seguente inserendo i nomi ottenuti aggiungendo agli aggettivi indicati i suffissi -anza, -ezza, -ità, -zione.

Ditta leader nel settore degli impianti elettrici offre opportunità di lavoro part-time o a tempo pieno a elettricisti, magazzinieri, contabili.

Requisiti

1. Flessibile ....
2. Puntuale ....
3. Determinato ....
4. Motivato ....
5. Responsabile ....
6. Riservato ....
7. Costante ....
8. Disponibile ....

14. Nelle frasi seguenti, tratte dalla lettera di candidatura di Maria Cavallo (vedi esercizio 9), è usato il congiuntivo: sapete dire dopo quale tipologia di verbi?

1. Conosco i vostri prodotti che ritengo siano...   ....
2. Spero che mi offriate...   ....

15. Con l'aiuto dell'insegnante, elencate i verbi che servono a esprimere opinioni, giudizi, speranze.

Credo che, penso che, ...
....
....

16. Completate l'annuncio seguente inserendo i verbi corretti.

Grande magazzino di Firenze seleziona personale per il 2008

cassieri/e, addetti/e punto informazione, addetti/e al banco pasticceria che:

1. *abbiano* .... buona presenza;
2. .... serietà, professionalità;
3. .... relazionarsi con i clienti;
4. .... esperienza nel settore commerciale;
5. .... capacità di lavoro di gruppo.

17. Completate i brani seguenti coniugando correttamente i verbi indicati tra parentesi.

Gli esperti credono che l'emancipazione femminile nei paesi poveri (1) .... (essere) indispensabile per la crescita della società; questo è stato affermato in un rapporto del Fondo delle Nazioni Unite per la Popolazione che ritiene che miglioramenti della salute e delle condizioni sociali delle donne (2) .... (essere) cruciali per lo sviluppo sociale. Si pensa che le donne che abbiano avuto accesso all'istruzione (3) .... (fare) aumentare notevolmente la crescita economica e nello stesso tempo (4) .... (abbassare) il tasso di natalità e mortalità infantile.

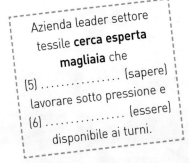

Azienda leader settore tessile **cerca esperta magliaia** che
(5) .... (sapere) lavorare sotto pressione e
(6) .... (essere) disponibile ai turni.

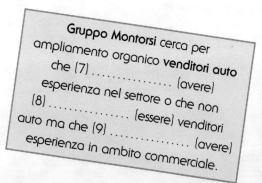

Gruppo Montorsi cerca per ampliamento organico **venditori auto** che (7) .... (avere) esperienza nel settore o che non (8) .... (essere) venditori auto ma che (9) .... (avere) esperienza in ambito commerciale.

18. Lavorando a coppie, descrivete al/alla vostro/a compagno/a il vostro lavoro ideale tenendo conto di orari, competenze, prestazioni (individuali o di gruppo), retribuzione ecc. e usando il congiuntivo per esprimere ipotesi, eventualità, situazioni dell'irrealtà ecc. come nell'esempio seguente.

Esempio: Voglio un lavoro che mi lasci la mattina libera e mi permetta di dormire!

RIEPILOGO GRAMMATICALE

■■ CONGIUNTIVO PRESENTE

	parlare	vendere	partire	finire
Io	parli	venda	parta	finisca
Tu	parli	venda	parta	finisca
Lui/Lei	parli	venda	parta	finisca
Noi	parliamo	vendiamo	partiamo	finiamo
Voi	parliate	vendiate	partiate	finiate
Loro	parlino	vendano	partano	finiscano

	essere	avere
Io	sia	abbia
Tu	sia	abbia
Lui/Lei	sia	abbia
Noi	siamo	abbiamo
Voi	siate	abbiate
Loro	siano	abbiano

Poiché le tre persone singolari delle tre coniugazioni presentano la stessa desinenza, usando il congiuntivo è preferibile specificare il pronome personale per evitare possibili ambiguità:
*Penso che **tu** sia stanco.*

Verbi irregolari
Le forme irregolari del congiuntivo molto spesso si formano dal presente indicativo, eccetto che per la prima e la seconda persona plurale.

Infinito	Indicativo	Congiuntivo presente
andare	vado	vada
bere	bevo	beva
dare	do	dia
dire	dico	dica
dovere	devo	debba
fare	faccio	faccia
potere	posso	possa
rimanere	rimango	rimanga
salire	salgo	salga
sapere	so	sappia
spegnere	spengo	spenga
stare	sto	stia
tenere	tengo	tenga

Uso del congiuntivo
Il congiuntivo si usa normalmente in frasi dipendenti da altre che esprimono soggettività, volontà, stati d'animo, incertezza, speranza ecc.:
credo/penso/direi che...;
voglio/non voglio/vorrei che...;
sono felice/contento/turbato per il fatto che...;
non credo/non sono sicuro/dubito che...;
mi auguro/spero che...

Normalmente, il soggetto della frase dipendente (secondaria) è diverso da quello della frase principale. Quando però il soggetto è lo stesso, si usa la forma **di + infinito**:

*Luisa spera **di trovare** lavoro.* (non *che trovi*, perché il soggetto delle due frasi è sempre *Luisa*)

*Io penso **di arrivare** per l'ora di cena.* (non *che arrivi*, perché il soggetto delle due frasi è sempre *io*)

Frasi relative con il congiuntivo

Nelle frasi relative generalmente è usato l'indicativo, ma si usa il congiuntivo quando si desidera dare alla frase un senso di eventualità:

La ditta dove lavora mia sorella cerca una persona che sia disposta a fare i turni di notte. (l'esistenza di tale persona rientra nel campo dell'eventualità)

La ditta dove lavora mia sorella cerca una persona che è disposta a fare i turni di notte. (l'esistenza tale persona rientra nel campo della realtà oggettiva)

Si usa spesso il congiuntivo quando il pronome relativo è preceduto da un superlativo relativo:
È il lavoro più pesante che Luis abbia mai fatto.

oppure in presenza di un pronome indefinito negativo:
In questura non c'è nessuno che parli un'altra lingua oltre all'italiano.

■■ DERIVAZIONE DI NOMI DA AGGETTIVI

I suffissi più usati per la formazione di nomi indicanti la qualità espressa dall'aggettivo sono:

-ezza
stanco ‹ *stanch**ezza***

-ità/-tà/-età
puntuale ‹ *puntual**ità***
leale ‹ *leal**tà***
serio ‹ *seri**età***

-anza/-enza
costante ‹ *cost**anza***
paziente ‹ *pazi**enza***

-ia
malinconico ‹ *malincon**ia***

-izia
pigro ‹ *pigr**izia***

-asmo/-ismo
entusiasta ‹ *entusi**asmo***
cinico ‹ *cin**ismo***

∎∎ ESERCIZI

1. Trasformate le frasi come indicato nell'esempio.

Esempio: Forse Amal torna dal Marocco lunedì prossimo.
Credo che Amal torni dal Marocco lunedì prossimo.

1. Forse Mirella stasera finisce di lavorare in orario.
Credo che ....
2. Forse i miei vicini di casa vengono dal Brasile.
Penso che ....
3. Forse il dott. Solmi è specializzato in geriatria.
Credo che ....
4. Forse Lei ha un lavoro più interessante del mio.
Mi sembra che ....
5. Forse tu conosci Luisa e Marcello.
Penso che ....
6. Forse tua madre ti chiama stasera dall'Iran.
Credo che ....
7. Forse il direttore ci darà l'aumento che ci aveva promesso.
Mi auguro che ....
8. Forse ha commesso una stupidaggine.
Temo che ....
9. Forse non avete capito bene quello che ho detto.
Ho l'impressione che ....

2. Completate le frasi inserendo il congiuntivo presente dei verbi seguenti.

> *lavorare • pagare • guadagnare • parlare • insegnare •*
> *finire • suonare • partire*

1. Luisa lavora alla Fiat ma non so bene in quale reparto ....
2. Luis lavora come interprete, ma non so quali lingue ....
3. Maria suona in un gruppo musicale, ma non so quale strumento
....
4. Il mio ragazzo lavora solamente la mattina, ma non so a che ora
.... oggi.
5. Mojgan va sicuramente in Iran per le vacanze, ma nessuno sa quando
....
6. Mia cognata ha un ottimo stipendio, ma non so esattamente quanto
....
7. John è professore in una scuola media, ma non so quali materie
....
8. L'appartamento di Luisa è sicuramente a buon prezzo, ma non so bene
quanto ....

3. Trasformate le frasi come indicato nell'esempio.

Esempio: Piero è depresso.
> *Piero pensa di essere depresso.*
> *Tutti pensano che Piero sia depresso.*

1. Vive come un barbone.
   È felice ....
   I parenti non sono felici ....

2. Non ricordo quello che è successo.
   Penso ....
   Mio marito pensa ....

3. Hanno dimenticato a casa le chiavi.
   Loro pensano ....
   Noi non pensiamo ....

4. Completate il brano seguente coniugando all'indicativo o al congiuntivo i verbi indicati tra parentesi.

Non credo che la mia nuova vicina di casa (1) .... (essere) italiana perché (2) .... (parlare) con un po' di accento, francese mi sembra, penso (3) .... (venire) da un paese maghrebino. Non so che lavoro (4) .... (fare) perché non ci siamo ancora presentate, ma credo che (5) .... (lavorare) fuori Milano perché (6) .... (partire) sempre molto presto la mattina e (7) .... (tornare) tardi la sera.
Non credo (8) .... (conoscere) molte persone a Milano perché non (9) .... (sentire) mai rumori di voci che (10) .... (venire) da casa sua. Credo (11) .... (essere) molto sola e uno di questi giorni busserò alla sua porta e la inviterò a cena. Spero che le (12) .... (fare) piacere.

5. Scrivete frasi di senso compiuto utilizzando le parole fornite come nell'esempio.

Esempio: Il mio panettiere *cercare* un garzone *avere* la patente di guida.
> *Il mio panettiere cerca un garzone che abbia la patente di guida.*

1. Ditta leader settore calzature *cercare* persona *sapere* perfettamente inglese e francese.
   ....

2. Non *conoscere* nessuno altro *parlare* così bene l'inglese.
   ....

3. La mia ditta *cercare* personale *essere* disposto a trasferirsi all'estero.
   ....

4. Non *conoscere* molte persone *potere* fare un lavoro così pesante.
   ....

5. La persona più generosa *avere* mai conosciuto è la mia amica Mary.
   ....

RIEPILOGO GRAMMATICALE

6. **Completate le frasi seguenti inserendo i nomi derivati dagli aggettivi indicati tra parentesi.**

1. Paul usa l'italiano con molta .... (sciolto).
2. Il nostro direttore esige grande .... (puntuale) da tutti i dipendenti.
3. Chiara usa sempre molta .... (ironico) quando parla con i suoi superiori.
4. Ci vogliono .... (serio) e .... (costante) per lavorare e studiare.
5. La nuova impiegata sta dimostrando molto .... (entusiasta) per il suo lavoro: si nota subito che è appena arrivata!
6. Di questi tempi sembra che la .... (furbo) sia più importante della .... (leale).
7. La .... (geloso) molte volte rende difficili i rapporti tra colleghi.

CONTENUTI

- Preparare e sostenere un colloquio di lavoro
- Pari opportunità

GRAMMATICA

- Pronomi relativi
- Aggettivi e pronomi indefiniti
- Verbi: revisione imperativo diretto/indiretto
- Preposizioni *in* e *a*

---

1. TRACCIA 04 **Ivana Tzechova è contattata dall'agenzia interinale per un lavoro. Ascoltate il dialogo tra Ivana e l'agente e completate le frasi seguenti.**

Agente: Buongiorno signora Tzechova ...si accomodi...

Ivana: Buongiorno, mi avete detto al telefono che avete ...qualcosa... per me.
per una persona

Agente: Sì, abbiamo la richiesta per ...una assistente... anziana, vive sola e ...soffre... di demenza senile. La figlia non si fida a ...lasciarle... in casa da sola.

Ivana: Ho capito. Che tipo di ...orario... devo fare?

Agente: Sebbene la figlia sia molto preoccupata... per sua madre, ha richiesto assistenza solo ...durante... il giorno. Per la notte credo ci ...pense...a... lei. Per la sua giornata libera deve ...parlare... con la cliente di persona e decidere con lei.

Ivana: La mia ...assistita... ha bisogno di cure infermieristiche?

Agente: Sì, è diabetica e ...deve... prendere delle medicine durante il giorno a ...orari... fissi. Ma lei è infermiera e quindi non penso abbia ...difficoltà...

Ivana: Naturalmente, nessun problema.

Agente: C'è però un'altra cosa... La signora ...richiede... anche qualche lavoro di pulizia della casa... Ha ...qualcosa... in contrario?

Ivana: Beh... se si tratta solamente di qualche ...lavoretto... posso farlo... anche se nell'altro lavoro non dovevo ...occuparmi... della casa... mi posso adattare. La retribuzione?

Agente: Dieci euro l'ora lordi. Se si ..*fa male*... sul lavoro ha diritto a una copertura dell'infortunio... lei queste cose le sa penso.

Ivana: Sì, le condizioni le conosco... come ho detto ho già lavorato in questo
..*settore*........

Agente: Bene, allora mi sembra che siamo ....*d'accordo*, le lascio il numero di telefono della cliente e lei...

2. **Disponetevi in coppie e, con l'aiuto dello schema seguente, simulate il dialogo tra l'a-
gente di un'agenzia interinale e un candidato.**

Agente: Buongiorno, prego si accomodi. .... ?

Candidato: So solamente che si tratta di un lavoro in una fabbrica. ....
.... ?

Agente: Sì tratta di una ditta di prodotti alimentari, di media grandezza. Dalla sua
scheda risulta che lei ....

Candidato: Sì, ho lavorato come magazziniere l'anno scorso, facevo i turni, anche
.... ?

Agente: Sì, turni di notte e di mattino presto, per lo scarico e il carico dei camion.
.... ?

Candidato: Va bene, non ho problemi di orario. .... ?

Agente: In periferia, nella zona industriale. .... ?

Candidato: Sì, certo, nessun problema con il trasporto. ....
.... ?

Agente: Tre mesi di contratto e poi la ditta offre assunzione.

Candidato: .... ?

Agente: 15 euro l'ora lordi. .... ?

Candidato: Nessun'altra domanda. .... ?

Agente: La ditta aspetta una sua telefonata, hanno urgente bisogno di un magazziniere. Ecco il numero di telefono del responsabile del personale. ....
....

Candidato: La ringrazio, arrivederci.

3. Leggete che cosa consigliano gli esperti su come prepararsi per un colloquio di lavoro, quindi seguite le indicazioni fornite di seguito.

Colloquio di lavoro?
È bene prepararsi

È possibile prepararsi per un colloquio di lavoro, serve a qualcosa o tutto dipende dal *curriculum* personale o dalle referenze o, peggio, dalle raccomandazioni?

Noi, esperti di marketing, pensiamo che anche il modo in cui si affronta il colloquio abbia il suo peso nella decisione finale. Ecco alcune regole da seguire.

- Prima di tutto l'aspetto, oggi molto importante. I vestiti devono essere eleganti ma non troppo ricercati: un paio di jeans e una camicia elegante andranno benissimo. I capelli, curati, possono essere lunghi, purché ordinati. Anche la barba deve essere curata e non troppo lunga. Le ragazze, infine, non dovranno esagerare con il trucco: un trucco delicato e curato è preferito.

- Prima del colloquio è importante prendere informazioni sulla ditta, sul lavoro che svolge, sull'area in cui opera e sui requisiti che ha indicato per il posto di lavoro in questione.
- Fate un elenco delle esperienze di lavoro più importanti che avete avuto (anche quello non pagato) e preparate un discorsetto sui vostri interessi, sugli hobbies e sui gusti: è molto comune che nei colloqui di lavoro si chieda al candidato di parlare di sé.
- Arrivate in anticipo, ma non eccessivamente, e non entrate nella stanza del colloquio masticando gomma o mangiando.
- Quando iniziano le domande, cercate di parlare in modo tranquillo, senza fretta: le vostre risposte devono essere precise e non troppo lunghe. Ovviamente, non basta rispondere "sì" o "no": se non capite una domanda chiedete spiegazioni, ma non rispondete mai se non avete compreso.
- Guardate sempre negli occhi il vostro interlocutore, tenete le mani sul tavolo o in grembo e non date l'impressione di essere nervosi.
- Non date informazioni false sulle vostre esperienze lavorative o sui vostri titoli di studio, mostrate interesse per le attività della ditta e fate domande sul tipo di lavoro, sull'orario, sulle condizioni offerte.

Buona fortuna!

Ora, per ognuna delle frasi seguenti scegliete l'opzione corretta fra le 3 evidenziate.

1. Controllate l'ora, la data e il luogo prima di presentarvi al colloquio con il **docente / capo / datore** di lavoro.
2. Cercate di arrivare sul posto in **tempo / in ritardo / in anticipo**, ma non eccessivamente per non dare l'impressione di essere ansiosi.
3. Portate con voi la lettera di **convocazione / arrivo / chiamata** e preparate in anticipo i certificati, i documenti e le **domande / ricevute / referenze** richieste.
4. Prendete informazioni sul **posto / ufficio / dipartimento** di lavoro che vi interessa e sulle caratteristiche del lavoro.
5. Prendete anche informazioni sulla ditta in cui volete essere **lavorati / assunti / impiegati**.
6. Preparate un discorso per rispondere alla domanda: "Mi parli di **te / Lei / me**".
7. Non date informazioni sbagliate sulla vostra **esperienza / capacità / preferenza** lavorativa precedente.
8. Vestitevi in modo elegante ma non troppo **vistoso / ricercato / sportivo**.

4. **Karim Hassan ha ottenuto un colloquio di lavoro per un posto di elettricista in una ditta di elettrodomestici. Scegliete la risposta più adatta alla situazione fra le tre proposte di volta in volta.**

1. *Buongiorno, sono la dott.ssa Paola Ferri, dell'Ufficio personale.*
   - ▨ a. Buongiorno, mi sorprende trovarmi davanti una donna.
   - ▨ b. Buongiorno, sono contento di essere qui perché il lavoro di elettricista mi piace molto.
   - ▨ c. Mi fa piacere conoscerla e la ringrazio per l'opportunità che lei mi offre.

2. *Si accomodi, prego. Dunque vedo dal suo C.V. che lei è perito elettrotecnico, che ha studiato al serale e che si è diplomato l'anno scorso.*
   - ▨ a. Sì, sono riuscito a diplomarmi lavorando come aiuto tecnico con mio padre.
   - ▨ b. Certo, è scritto lì!
   - ▨ c. È stata dura ma ce l'ho fatta!

3. *Bene, quindi lei ha esperienza sul campo, anche se si è appena diplomato...*
   - ▨ a. Ci tengo a dirle che non troverà nessuno migliore di me, anche perché mio padre non scherza!
   - ▨ b. Sì, ho incominciato a lavorare come elettricista con mio padre a 16 anni, diciamo che ho fatto la gavetta con lui. Mio padre è molto preciso.
   - ▨ c. Altro che esperienza sul campo! Ho lavorato sodo e adesso sono un esperto nel mio settore.

4. *Se lavorerà con noi, si dovrà occupare principalmente dell'assistenza ai clienti. Secondo lei, che cosa richiede questo lavoro a parte le conoscenze tecniche?*
   - ▨ a. Dover passare un bel po' di tempo in macchina, comunque mi piace guidare!
   - ▨ b. Il contatto con molta gente, speriamo di non avere troppi clienti vecchi!
   - ▨ c. Pazienza, gentilezza ed educazione. Bisogna saper trattare con le persone e cercare di capire le loro esigenze.

5. *Lei è disposto a seguire un corso di formazione per una settimana prima di iniziare il lavoro?*
   - ▨ a. Perbacco, sono felicissimo di partecipare, certamente!
   - ▨ b. Sono disponibile a qualsiasi tipo di formazione presso la vostra ditta.
   - ▨ c. Penso di non averne bisogno, come le ho detto ho fatto questo lavoro per molti anni!

6. *Questo lavoro richiede la reperibilità per un fine settimana al mese.*
   - ▨ a. Vuol dire che devo stare a casa 24 ore al giorno?
   - ▨ b. Capisco la vostra necessità e avevo preso in considerazione questa ipotesi quando ho fatto domanda.
   - ▨ c. Sì, non mi dispiace troppo essere reperibile, così ho una buona scusa per non andare a trovare i genitori della mia ragazza in campagna.

7. *Ha qualche domanda?*
   - ▨ a. No, ho capito tutto perfettamente.
   - ▨ b. No, la vostra offerta di lavoro era molto chiara e lei ha spiegato chiaramente le mansioni.
   - ▨ c. No, non mi viene in mente niente da chiedere.

8. *Bene, penso che possa bastare, le comunicheremo la nostra decisione.*
   - ▨ a. La ringrazio di nuovo per questa opportunità e sono a vostra disposizione.
   - ▨ b. Speriamo che non mi facciate aspettare un mese!
   - ▨ c. Spero che mi assumiate perché non vedo l'ora di incominciare a lavorare qui.

5. [TRACCIA 05] **Ascoltate il colloquio di lavoro e, per ognuna delle frasi seguenti, scegliete l'opzione corretta fra le 3 evidenziate.**

1. L'azienda è **piccola, a conduzione familiare / di media grandezza / grande**.
2. L'intervistatore è il **responsabile del personale / capo settore / direttore**.
3. Il candidato **è laureato / è diplomato / non ha titoli di studio**.
4. Il candidato **ha esperienza pluriennale / ha esperienza biennale / non ha mai lavorato nel settore**.
5. L'orario di lavoro è **continuato / su due turni / notturno**.
6. Il contratto è **di tre mesi / di sei mesi / a tempo indeterminato**.

6. **Leggete il solo titolo dell'articolo proposto nell'esercizio 7 e, in considerazione delle affermazioni seguenti, formulate delle ipotesi sul suo contenuto.**

1. L'articolo confronta il numero delle donne che lavorano fuori casa in Europa e negli Stati Uniti.
2. L'articolo parla delle discriminazione sul posto di lavoro nei confronti delle donne.
3. L'articolo parla delle difficoltà di far carriera per le donne europee.

7. **Leggete l'articolo seguente, quindi valutate le ipotesi sul suo contenuto da voi formulate nello svolgimento dell'esercizio precedente.**

Donne in Europa, carriera negata

Care europee, se siete fortunate avete un lavoro, ma scordatevi di fare carriera. Se si va a toccare con mano la realtà del mondo del lavoro, i paesi europei sono un "luogo triste" per le donne *che* vogliono arrivare in alto. La carriera è un sogno da accantonare per *chi* decide di avere dei figli. Le **pari opportunità** non esistono, o meglio, esistono a parole, come argomento di discussione nelle aule dei parlamenti o in testi di legge *che* contano pochi mesi di vita; la strada da fare è ancora molto lunga.

È quanto afferma il "Newsweek" americano, che ha dedicato un articolo alle donne e il mondo del lavoro in Europa e negli Stati Uniti.

I dati *su cui* si basa l'inchiesta sono quelli dello studio pubblicato dall'ILO (*International Labour Organization*), *che* dice che negli Stati Uniti le donne nei posti di potere sono il 45%, in Gran Bretagna il 33%, in Francia il 30% e persino in Svezia, considerata un modello di parità, solo il 29%. In Italia le donne dirigenti sono proprio poche, appena il 18%.

Se accade questo non è perché le europee stiano di più a casa: come **forza lavoro** esse pesano quasi quanto le americane. Né perché siano meno preparate degli uomini: nella maggior parte dei paesi hanno gli stessi titoli di studio.

Il problema vero, dice il "Newsweek", è che l'Europa non sa sfruttare le **potenzialità** delle sue donne, *che* possono avere un lavoro ma poi non crescono.

Perché? Diverse le ragioni citate dal settimanale. E tra queste compaiono proprio le politiche pensate per aiutare le donne *che* vogliono **conciliare** lavoro e maternità. Diversi studi mostrano che lunghi periodi trascorsi a casa possono stroncare la carriera di una donna *che* lavora in un'azienda, spesso per sempre. "Essere una **potenziale madre** è un ostacolo per le donne in alcuni tipi di lavoro", dice Manuela Tomei, sociologa dell'ILO.

Anche il *part-time*, *che* alcune scelgono per conciliare gli impegni familiari, non aiuta la carriera. In alcuni paesi europei poi, il sistema fiscale premia le famiglie *in cui* la donna non lavora fuori casa; in altri, scarsi e costosi servizi per l'infanzia non danno alternative alle donne.

Uno dei fattori più penalizzanti poi è che la vita al femminile, a meno di grossi sacrifici, non va d'accordo con la **vita gerarchica** *che* domina molte aziende europee. Mancano inoltre le possibilità di scegliere orari flessibili: solo una donna su cinque in Europa riesce a farlo, contro il 30% negli USA. Il lavoro da casa è molto meno **diffuso** che in America, perché molte meno aziende hanno investito in nuove tecnologie. E poi c'è la mentalità accettata da molte imprese *per cui* la produttività è legata alle ore trascorse in ufficio: come dice Alexandra Jones, direttrice associata della *Work Foundation* britannica: "Quando i capi scelgono *chi* lavora bene in base al numero di ore passate davanti alla scrivania, le donne sono svantaggiate".

Adattamento da "La Repubblica", febbraio 2006.

PAROLE UTILI

pari opportunità: le stesse opportunità, l'assenza di discriminazione

forza lavoro: l'insieme delle persone che lavorano in un paese

potenzialità: capacità, forze

conciliare: combinare

potenziale madre: possibile madre

vita gerarchica: vita classificata, con livelli di subordinazione, di importanza

diffuso: usato, esteso

---

8. **Suddividetevi in tre gruppi ciascuno dei quali argomenterà i pro e i contro di una delle affermazioni seguenti.**

1. Le donne che decidono di avere figli dovrebbero rimanere a casa e prendersi cura di loro.
2. I datori di lavoro dovrebbero considerare la produttività invece di valutare le ore di presenza sul posto di lavoro.
3. Adottare un modello di lavoro più flessibile attenua le differenze tra uomini e donne nei posti di dirigenza.

LAVORIAMO SULLA LINGUA

9. **Completate le frasi coniugando al congiuntivo presente i verbi elencati.**

aumentare • essere • ubbidire • avere • collaborare

1. Quella ditta impone ritmi di lavoro che .... la produttività ma gli operai sono in sciopero per protesta.
2. L'azienda dove lavora mio fratello assume personale che .... giovane e dinamico.
3. Il caporeparto pretende che gli operai .... senza fiatare.
4. Sempre di più le ditte assumono personale che .... flessibilità.
5. Vorrei lavorare con una collega che .... anziché competere.

 **TEMA** Il lavoro

10. Unite le frasi seguenti usando il *che* relativo.

Una badante racconta

Esempio: Il mio primo lavoro l'ho trovato presso una famiglia meravigliosa. La famiglia mi ha accolto con affetto, stima e rispetto.
*Il mio primo lavoro l'ho trovato presso una famiglia meravigliosa **che** mi ha accolto con affetto, stima e rispetto.*

1. Poi la persona che assistevo è mancata e non ho avuto difficoltà nel trovare il mio attuale lavoro. Faccio questo lavoro ormai da quattro anni.
   ....
   ....

2. Mi sono affezionata a questa famiglia, sebbene non sia facile per una persona anziana accettare un estraneo. Io mi prendo cura di lei.
   ....

3. Nel mio paese ero diplomata e qui conosco molti immigrati. Molti di loro hanno studiato, alcuni addirittura hanno svolto lavori amministrativi.
   ....
   ....

4. Ma tutto questo non è indispensabile né necessario per svolgere questo nuovo lavoro di badante, perché alle famiglie non interessa tanto il nostro livello di istruzione. Le famiglie ci danno lavoro.
   ....
   ....

5. Per le famiglie è importante che noi possediamo umanità e dolcezza. Questo ci permette di prenderci cura dei loro cari.
   ....
   ....

---

11. Completate le frasi scegliendo tra *chi* (*colui/coloro che*) *che, cui*.

1. I paesi europei sono un luogo difficile per le donne .... vogliono fare carriera.
2. I dati su .... si basa l'inchiesta sono quelli dello studio .... è stato pubblicato *dall'International Labour Organization*.
3. Molte donne lavorano nel settore pubblico in .... gli stipendi sono inferiori e ci sono meno possibilità di fare carriera.
4. Il *part-time* .... alcune donne scelgono per conciliare il lavoro con la famiglia non aiuta la carriera.
5. Anche la mentalità per .... la produttività è legata alle ore trascorse al lavoro non aiuta le donne.
6. Quando i capi scelgono .... lavora bene in base al numero delle ore passate alla scrivania, penalizzano le donne.
7. .... sostiene che le donne sono meno qualificate degli uomini non conosce la realtà dell'Europa.

12. Completate le frasi usando *qualche, qualcuno, ogni, nessuno/a, niente, qualsiasi, qualunque.*

1. .... anno fa ho lavorato come commessa, poi ho deciso di cambiare lavoro.
2. Ho mandato il mio C.V. a diverse ditte, ma non ho ancora ricevuto .... risposta.
3. Ho fatto anche un corso di inglese, ma .... da fare per ora!
4. Mi ha detto .... che il Centro per l'impiego è un servizio utile.
5. La ditta in cui lavora mia sorella cerca .... che sappia usare la tagliatrice a laser.
6. .... lavoro la donna scelga deve essere compatibile con la vita familiare.
7. Sono emigrato in Australia con la conoscenza dell'inglese limitata di un .... studente di scuola media superiore.
8. Non sapevo .... del programma aziendale di formazione per i nuovi assunti.

13. Seguendo l'esempio, date un consiglio a un/a vostro/a amico/a che si deve presentare a un colloquio di lavoro.

Esempio: (capelli, lavare e pettinare): *Lavati e pettinati i capelli prima di andare al colloquio.*

Sì

No

1. (vestiti eleganti, indossare): ....
2. (trucco leggero, usare): ....
3. (barba, tagliare): ....
4. (esperienze lavorative, elencare): ....
5. (hobby, interessi, ricordare): ....
6. (nervosismo, non mostrare): ....
7. (tranquillamente, parlare): ....
8. (falso, non dire): ....

14. Completate il dialogo inserendo i termini seguenti, quindi dite qual è secondo voi il lavoro di Mjriam.

faccia • provi • chieda • torni • venga • vada • si preoccupi • entri

Mjriam: Direttrice, posso entrare?

Direttrice: (1) .... pure Mirjam, ho poco tempo, sono in ritardo per una riunione, per favore (2) .... presto.

Mjriam: Non (3) .... Volevo chiederle un permesso di tre ore per venerdì. Devo portare mio figlio dal medico.

Direttrice: Vediamo... c'è un problema... venerdì non c'è neanche l'insegnante di sostegno che potrebbe sostituirla per tre ore. (4) .... un cambio turno con la sua collega.

Mjriam: Ho già parlato con la mia collega e venerdì non può.

Direttrice: (5) .... a chiedere se qualche altra collega può fare un cambio di orario con lei. In caso contrario (6) .... da me domani e vedrò di organizzare una supplente. Non sarà facile visto che siamo in periodo di influenze e raffreddori... Speriamo... (7) .... ora Mjriam, purtroppo devo proprio scappare per la mia riunione. (8) .... domani. Arrivederla.

Mjriam: Arrivederla, a domani.

Il lavoro di Mjriam è: ....

15. Completate il testo seguente inserendo le preposizioni *a* o *in* semplici o articolate.

Chi sono gli immigrati?

Dai dati forniti da alcuni centri di ricerca risulta che i marocchini e gli albanesi sono gli immigrati più numerosi. Sono (1) .... maggioranza maschi, single, hanno un lavoro (2) .... tempo pieno, vivono (3) .... maggioranza (4) .... Lombardia e Lazio, mandano (5) .... casa circa 700 euro l'anno, hanno problemi con la casa e il loro principale motivo di disagio consiste (6) .... fare amicizia con gli italiani.

La Romania con i suoi operai edili è (7) .... terzo posto, mentre le Filippine sono (8) .... quarto grazie (9) .... personale domestico in maggior parte femminile. In crescita i cinesi, che hanno la più alta percentuale di imprenditori, specie (10) .... settore tessile.

Secondo un'indagine della SWG il 34% degli immigrati ha un impiego (11) .... tempo pieno, il 13% lavora (12) .... giornata, il 15% ha un contratto *part-time*, il 10% ha un lavoro stagionale, soprattutto (13) .... agricoltura; il restante 28% è in Italia per studiare.

L'ingresso (14) .... mondo del lavoro è stato difficile: per il 61% il primo lavoro è stato (15) .... nero. Per quanto riguarda la qualità del lavoro il 34% svolge un lavoro manuale, il 10% un lavoro di basso livello, il 4,7% ne svolge uno di medio livello, il 13,5% è un piccolo imprenditore e il 5,4% è un professionista.

RIEPILOGO GRAMMATICALE

■■ PRONOMI RELATIVI

Il pronome relativo ha due funzioni: sostituisce un nome o un pronome e mette in relazione una frase secondaria con una frase principale.

*Ho visto tua sorella **che** parlava con Marco. (ho visto tua sorella – questa parlava con Marco)*

Sto leggendo il curriculum vitae ***che** mi ha prestato Maria. (sto leggendo il* curriculum vitae *– Maria mi ha prestato il* curriculum vitae)

I pronomi relativi sono i seguenti.

Che

Invariabile, cioè valido per maschile, femminile, singolare e plurale; la concordanza di genere e di numero avviene con il nome di cui *che* è il sostituente.
Tra i pronomi relativi è il più usato e funziona come soggetto o come complemento oggetto della frase.

Soggetto	
Lo studente	entra
che	
La torta	è nel frigo

Complemento oggetto	
Il dolce	hai preparato
che	
La ragazza	ho incontrato

Cui

Invariabile e, a differenza di *che*, usato solo come complemento indiretto preceduto da una preposizione semplice; può essere sostituito dai pronomi relativi *il quale, la quale, i quali, le quali* ma non da *che*.

*La professoressa **da cui** (dalla quale) prendo lezioni di arabo è tunisina.*

*Il ragazzo **di cui** (del quale) ti parlavo è il mio collega.*

*I concerti **a cui** (ai quali) ho assistito erano gratuiti.*

*Nelle città **in cui** (nelle quali) ho vissuto c'erano molti immigrati.*

Se il pronome relativo ha valore di complemento di specificazione, esistono due possibilità di realizzazione della frase.

Ho conosciuto una signora molto simpatica. Suo marito è francese.

*a) Ho conosciuto una signora molta simpatica **il cui** marito è francese.*

*b) Ho conosciuto una signora molto simpatica il marito **della quale** è francese.* (più formale)

Che polivalente

Nel parlato e nello scritto informale si usano spesso le forme seguenti.

*Il giorno **che** (invece di in cui) sono arrivato in Italia c'era la nebbia.*

*La mattina **che** (invece di nella quale) ho visto Alì ho ripensato al mio viaggio in Marocco.*

Dove

Anche l'avverbio *dove* quando è usato per mettere in relazione due frasi acquista valore relativo:

*La città **dove** (in cui, nella quale) vivo è piccola.*

■■PRONOMI RELATIVI DOPPI

Si chiamano "doppi" i pronomi relativi aventi in sé un pronome dimostrativo (*questo/a, questi/e, quello/a, quelli/e*) e uno relativo.

Chi
"Colui che", "la persona che"; si riferisce solo a esseri animati (persone di genere maschile e femminile o gruppi nominali generici) e richiede sempre il verbo al singolare.
Chi va piano va sano e va lontano.
Sarò grata a chi mi aiuterà.

Quanto
"Ciò che"; si riferisce a cose, è invariabile e richiede il verbo al singolare.
Dobbiamo fare attenzione a quanto è stato spiegato.

Quanti/e
"Quelli che", "le persone che"; si riferisce a esseri animati ed è usato nel linguaggio formale.
Quanti/e vogliono il verbo al plurale:
Sappiamo tutti quante di voi facciano il doppio lavoro. (Quante di voi donne)

■■AGGETTIVI E PRONOMI INDEFINITI

Gli aggettivi e i pronomi indefiniti indicano in modo generico persone o cose senza precisarne la quantità.

Aggettivi	Pronomi	Pronomi e aggettivi	Riferiti a
	chiunque		persona
	uno, una	alcuno, ciascuno, nessuno	persona o cosa
	qualcosa, niente, nulla		cosa
ogni, qualche, qualsiasi, qualunque	qualcuno, ognuno	certo, altro, troppo, parecchio/molto, poco, tanto, quanto, tutto	persona o cosa

I pronomi *chiunque, qualcosa, niente, nulla* e gli aggettivi *ogni, qualche, qualsiasi, qualunque* **sono invariabili**.

■■PREPOSIZIONI

A
il suo significato principale è quello legato alla direzione.
• Moto a luogo. *Vado a Milano.*
• Stato in luogo. *Vivo a Modena.*

Esprime anche i seguenti complementi.

- Complemento di termine.
  *Regalo questo libro **a Marco***.

- Complemento di tempo.
  *Mi addormento sempre **a notte fonda***.

- Complemento di modo.
  *Luigi impara sempre la lezione **a memoria***.

- Complemento di prezzo o misura.
  *Nei centri abitati si deve guidare **a 50 all'ora***.
  *I pomodori quest'anno costano più di 2 euro **al chilo***.

- Complemento di età.
  *Mia nonna si è risposata **a 80 anni***.

In

Il suo significato principale è quello legato alla collocazione nello spazio e nel tempo.

- Stato in luogo.
  *Ho una casa **in centro**; abitiamo **in via Roma***.

- Moto a luogo.
  ***Vado in** Spagna*.

Esprime anche i seguenti complementi.

- Complemento di tempo determinato.
  *Mia figlia è nata **nel 1984***.

- Complemento di tempo continuato.
  *Ho scritto un libro **in tre mesi***.

- Complemento di materia.
  *Mi piacciono i mobili **in legno** di noce*.

- Complemento di mezzo.
  *È meglio viaggiare **in treno***.

- Complemento di modo.
  *È stata molto **in ansia** per i risultati dell'esame*.

- Complemento di limitazione.
  *È laureata **in chimica***.

■■ ESERCIZI

1. Completate le frasi seguenti inserendo il pronome relativo appropriato.

1. Il lavoro .... ho adesso è molto faticoso.
2. La mia casa ha un piccolo giardino .... ho piantato molti fiori.
3. Il giornale .... ti ho parlato è scritto da immigrati.
4. Vivo in una città .... conosco poche persone.
5. Ho visto un annuncio di lavoro .... ti potrebbe interessare.
6. Com'è la casa .... abitate adesso?
7. Il motivo .... si è licenziata è molto serio.
8. Questo è il libro .... ho preparato il concorso di lavoro.

RIEPILOGO GRAMMATICALE

9. La mia direttrice è una persona deliziosa .... capisce i nostri problemi.
10. Ho lavorato moltissime ore .... ora sono stanchissima.

2. **Unite le coppie di frasi seguenti usando un pronome o un avverbio relativo per formare una proposizione unica.**

Esempio: La città di Roma è bellissima. Roma è la capitale d'Italia.
La città di Roma, che è la capitale d'Italia, è bellissima.

1. Guardate questa cartolina. Rappresenta Tunisi.
....
2. Mi piace molto la costa pugliese. Per certi aspetti assomiglia alla costa ligure.
....
3. Mia figlia ha paura dell'insegnante di italiano. Lui è molto severo.
....
4. Mi piacerebbe avere un giardino. In esso vorrei coltivare un orto.
....
5. Mi fido poco degli sconosciuti. Gli sconosciuti vendono merci a domicilio.
....
6. Ho conosciuto una ragazza algerina. La sua conoscenza dell'italiano è ottima.
....

3. **Completate le frasi seguenti inserendo *su chi, chi, a chi, con chi, di chi*.**

1. Maria deve imparare a distinguere .... scegliere per amico.
2. ".............. va piano va sano e va lontano", così dice un vecchio proverbio.
3. Dimmi .... sei uscito ieri sera!
4. Non sappiamo .... è stata questa pessima idea.
5. Non so più .... credere, Maria dice una cosa e Karim dice esattamente il contrario!
6. Felice .... le starà vicino!
7. Non so più .... contare dopo quello che è successo in ufficio.

4. **Completate le frasi seguenti inserendo i pronomi relativi *per cui, chi, quanti, da cui, in cui, che, di cui*.**

1. Il barbiere .... vai è lo stesso .... andava mio fratello.
2. Vorrei abitare su un'isola .... non abita nessuno.
3. Nella borsa .... c'è la spesa, trovi anche lo scontrino.
4. L'indirizzo .... cerchi è sul tavolo della cucina.
5. Da .... hai saputo la bella notizia?
6. Non posso proprio capire il motivo .... vuole cambiare lavoro.
7. Sono molto dispiaciuta della situazione .... ti trovi.
8. Invidio .... non perdono mai la calma!
9. Il telefono è un mezzo .... abbiamo bisogno, ma dobbiamo usarlo con giudizio.
10. Le scarpe .... indossi non sono adatte al colloquio di lavoro.

5. **Completate le frasi seguenti inserendo l'indefinito opportuno.**

1. In .... paese puoi trovare qualcosa di bello e interessante.
2. Non ho .... idea su che cosa regalare a Majida.
3. Vorrei .... da mangiare.
4. .... parlano un dialetto.
5. Non andiamo spesso in vacanza, ci andiamo solo .... volta.
6. Qui .... fa a modo suo.
7. C'era .... gente alla conferenza? – No, solo .... pacifista.
8. .... cosa ci dica non gli crederemo mai e poi mai!
9. Qui non si vede ...., c'è troppa nebbia.
10. In Italia ho visto .... belle cose.
11. Senti spesso Maria? – No, solo .... volta.
12. Ho collaudato i nuovi modelli e in .... ho trovato difetti.
13. .... può farmi cambiare idea. Credo molto in quello che sto facendo.
14. Avremmo .... cose da dirti ma adesso abbiamo .... tempo.
15. Dovevo dirti .... ma me ne sono dimenticata.

6. **Completate le frasi seguenti inserendo le preposizioni *a* e *in* semplici o articolate.**

1. Molti italiani vanno .... vacanza .... agosto, ... ultimi anni però le cose stanno cambiando.
2. Ho iniziato .... studiare l'italiano un anno fa e incomincio .... capire abbastanza bene quasi tutto.
3. Sono rimasta .... ufficio tutto il giorno e adesso sono così stanca che non vedo l'ora di andare .... casa per rilassarmi un po'.
4. La casa di Miriam è .... campagna, ma grazie a un ottimo trasporto pubblico può andare .... lavorare .... città senza nessun problema.
5. Il mare .... Rimini è abbastanza inquinato e le spiagge sono quasi tutte .... pagamento; io non ci andrei proprio.

7. **Completate il brano seguente inserendo le preposizioni *a* e *in* semplici o articolate.**

La mancanza di sbocchi interni e l'ingiustizia sociale spingono sempre più filippini (1) .... lasciare il loro paese per andare a lavorare (2) .... estero. Con 10 milioni di emigrati, le Filippine sono (3) .... terzo posto per numero di emigrati dopo il Messico e l'India. I filippini emigrati inviano (4) .... patria complessivamente 7,6 miliardi di dollari, pari (5) .... 10,5% del PIL delle Filippine.
Dal punto di vista sociologico questo fenomeno ha i suoi costi: famiglie con un solo genitore, dipendenza economica in molte comunità rurali, tendenza (6) .... investire (7) .... beni di consumo di facciata piuttosto che (8) .... attività produttive. E poi (9) .... emigrare sono spesso i giovani più qualificati che potrebbero essere molto utili (10) .... livello sociale, politico ed economico (11) .... loro paese, ma questo discorso vale in generale per tutti i paesi con forte emigrazione.

Adattamento da "Le monde diplomatique", giugno 2006.

UNITÀ 4
Muoversi nel sistema sanitario

CONTENUTI

- Orientarsi nel sistema sanitario italiano
- Leggere informazioni sulla salute
- Prenotare una visita medica specialistica

GRAMMATICA

- Verbi modali
- Condizionale presente
- Uso di *allora* ed *ecco*
- Forma impersonale

---

1. TRACCIA 06 **Ascoltate l'intervista e, con l'aiuto dell'insegnante, rispondete alle domande seguenti usandole come spunto per una discussione in classe.**

1. Quale tipo di medico è il dott. Solmi?
   ....

2. Come avete scelto il vostro medico di base?
   ....
   ....

3. Andate spesso dal vostro medico? È la prima persona che contattate se state male?
   ....
   ....

4. Come vi trovate con il vostro medico?
   ....
   ....

2. TRACCIA 06 **Ascoltate di nuovo l'intervista, quindi evidenziate le parole e le espressioni in essa pronunciate scegliendo tra le seguenti.**

medicina di base • pediatri di base • medici di famiglia • medici chirurghi • infermiere • cartellino sanitario • visita domiciliare • guardia medica • visita ospedaliera • assistenza domiciliare • servizio infermieristico • diagnosi strumentale • servizio • visita ambulatoriale • ospedali • analisi • emergenza • specialista

3. TRACCIA 06 **Ascoltate di nuovo l'intervista e rispondete alle domande seguenti.**

1. Quale tipo di medico di base scegliete se avete un bambino?
....
2. Che cosa fate se vi sentite male di notte?
....
3. Perché è importante il medico di base?
....
4. Che cosa occorre fare per prenotare una visita specialistica?
....

4. TRACCIA 06 **Quali tra le parole e le espressioni seguenti è possibile abbinare ai nomi elencati? Ascoltate di nuovo l'intervista e completate lo schema come indicato nell'esempio.**

> ospedaliera • specialista (×3) • ambulatoriale •
> sanitaria • di base (×2) • domiciliare • medica

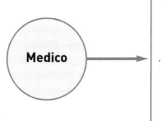

Medico

di base	= medico di famiglia che segue il paziente negli anni
....	= medico che cura problemi specifici (l'oculista, per esempio, è il medico che si occupa della vista)

Assistenza

....	= tutti i servizi per la salute, pubblici e privati
....	= i servizi per la salute gratuiti
....	= i servizi che si occupano di un determinato campo sanitario (per esempio esami del sangue, visita oculistica ecc.)

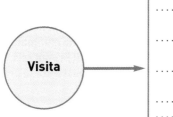

Visita

....	= assistenza medica in ospedale
....	= assistenza presso uno studio medico
....	= assistenza nella casa del malato
....	= qualsiasi visita sanitaria
....	= assistenza su problemi di salute specifici

5. **Leggete il brano proposto, quindi indicate quali tra le affermazioni seguenti sono vere e quali false; infine, rispondete alle domande.**

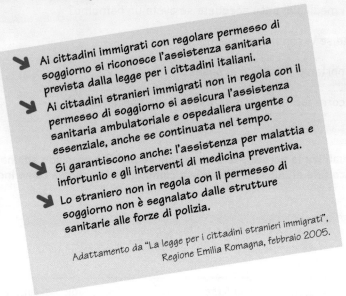

Ai cittadini immigrati con regolare permesso di soggiorno si riconosce l'assistenza sanitaria prevista dalla legge per i cittadini italiani.

Ai cittadini stranieri immigrati non in regola con il permesso di soggiorno si assicura l'assistenza sanitaria ambulatoriale e ospedaliera urgente o essenziale, anche se continuata nel tempo.

Si garantiscono anche: l'assistenza per malattia e infortunio e gli interventi di medicina preventiva.

Lo straniero non in regola con il permesso di soggiorno non è segnalato dalle strutture sanitarie alle forze di polizia.

Adattamento da "La legge per i cittadini stranieri immigrati", Regione Emilia Romagna, febbraio 2005.

	V	F
1. I cittadini stranieri pagano il medico di base.	■	✗
2. Solo i cittadini stranieri senza permesso di soggiorno pagano il pronto soccorso.	■	✗
3. I medici del pronto soccorso denunciano alla polizia gli stranieri privi di permesso di soggiorno	■	✗
4. Tutte le persone che vivono in Italia hanno diritto all'assistenza per malattia e infortunio	✗	■

Nel testo del volantino compaiono le voci verbali *si riconosce, si assicura, si garantiscono*.

a. Quando è usata questa forma verbale?
....

b. Chi fa l'azione di "riconoscere", "assicurare" e "garantire"?
....

c. In quale persona è coniugato il verbo in questa forma verbale?
....

d. Usando questa forma verbale si intende evidenziare l'azione o la persona che la compie?
....

6. **Che cosa si deve fare per prenotare una visita specialistica nella regione in cui vivete? In molte regioni si possono fare le prenotazioni direttamente al telefono chiamando un numero verde, mentre in altre si deve andare al CUP, il Centro Unico di Prenotazioni. Discutete in classe dell'argomento, quindi, con l'aiuto dell'insegnante, descrivete la procedura.**

Prima si deve .... ;
poi .... ;
alla fine ....

7. **Leggete il brano seguente, quindi completate il racconto in prima persona scegliendo tra le parole e le espressioni indicate (ricordate che non tutte quelle elencate sono da utilizzare).**

Un mal di pancia di notte

Che cosa succederebbe se una persona si svegliasse nel pieno della notte con un terribile mal di pancia?

La persona chiamerebbe la guardia medica, che cercherebbe di convincerla ad andare all'ambulatorio; forse dovrebbe insistere molto per far venire il medico a casa. La guardia medica finalmente arriverebbe e visiterebbe la persona con il mal di pancia. Si accerterebbe che non si tratti di appendicite e, se pensasse che la persona non è grave, le darebbe un medicinale contro il dolore e le direbbe di andare, se il dolo-

re continuasse, dal suo medico di base. Il medico di base potrebbe richiedere una visita specialistica. In questo caso la persona dovrebbe prenotare la visita. Aspetterebbe un periodo di tempo più o meno lungo (dipende dalle liste di attesa che variano da regione a regione) e dopo qualche giorno riceverebbe a casa il modulo, cioè l'impegnativa, per la visita e con questo modulo dovrebbe pagare il ticket.

Il giorno dell'appuntamento finalmente sarebbe visitata dallo specialista che, però, potrebbe richiedere delle analisi specifiche, mirate, e allora ricomincerebbe la storia della prenotazione, un altro ticket...

DUTY DOCTOR · 1ST AID · MEDICINE

guardia medica • pronto soccorso • farmaco • prenotare visita specialistica •
GP. medico di base • altro farmaco • richiedere visita specialistica •
ambulatorio specialistico • impegnativa • ospedale • ricovero ospedaliero •
visita specialistica • analisi specialistiche • pagare il ticket   hospital admission

SURGERY   APPT LETTER   BILL

Se mi svegliassi di notte con un forte dolore alla pancia chiamerei la guardia medica che verrebbe a casa, mi visiterebbe e ....
....
Il mio medico poi potrebbe ....
....
Allora io dovrei ....
Riceverei a casa ....
Il giorno stabilito per la visita specialistica ....
....
E quindi ricomincerebbe la storia!

8. TRACCIA 07 **Ascoltate la telefonata e completate il dialogo.**

Paziente: Buongiorno. Vorrei prenotare una visita oculistica.
Operatore: Sì, mi dà il suo nome e ....?
Paziente: ....
Operatore: La prima data possibile è il 22 .... alle ore ....
Paziente: Non c'è possibilità per il pomeriggio? Di .... non posso. Non mi danno permessi al lavoro. Quando c'è una possibilità nel ....?
Operatore: Dobbiamo andare a .... Le va bene?
Paziente: Pazienza! Va bene ....

Operatore:	Il .... alle ....
Paziente:	...................., ore ....
Operatore:	Le manderemo .... a casa nei prossimi giorni. Arrivederci.
Paziente:	Grazie, arrivederci.

9. Completate le frasi usando le parole e le espressioni seguenti.

prenotazioni • guardia medica • visita specialistica • appuntamento • ticket • analisi

1. Mia madre ha dovuto aspettare due mesi per fare una .... con l'o-torinolaringoiatra.
2. Adesso le .... si possono fare al telefono.
3. La mia amica ha dovuto fare la fisioterapia per un anno: quanti .... ha dovuto pagare!
4. Quando la figlia di Fariba è stata male la .... è arrivata subito!
5. Ho preso .... con la ginecologa per lunedì prossimo.
6. Meno male! Le .... che ho fatto un mese fa sono risultate negative.

10. Leggete il testo seguente.

Come chiamare un medico

- In casa, tenete il numero di telefono del vostro medico a portata di mano, affisso accanto al telefono.
- Chiedete al vostro medico di indicarvi altri medici da chiamare nel caso in cui lui non sia disponibile.
- Chiedetegli, inoltre, i numeri telefonici della centrale della guardia medica (il servizio sta progressivamente passando sotto il controllo operativo del 118).
- In caso di emergenza, telefonate al numero 118.
- Mantenete la calma e rispondete chiaramente alle richieste dell'operatore della centrale operativa del 118:
  - condizioni e numero delle persone da soccorrere;
  - indirizzo completo e località;
  - punti di riferimento ben individuabili (incroci, negozi ecc.);
  - numero di telefono da cui si chiama.
- Al termine della conversazione, riagganciate bene il telefono e mantenetelo libero per eventuali comunicazioni. Assicuratevi che le vie di accesso al luogo in cui si trova il malato o l'infortunato siano libere da ostacoli e ben illuminate.
- Ricordate che una richiesta corretta può salvare una vita!

11. Disposti in coppie, simulate una conversazione telefonica tra l'operatore del servizio 118 e un utente tenendo conto dei suggerimenti seguenti.

Operatore: non dimenticare di chiedere informazioni importanti a chi telefona per avere soccorso.

Utente: Tuo/a marito/moglie è caduto/a dalla scala cambiando una lampadina in casa: non riesce a muovere bene la gamba destra e gli/le fa male la schiena.

LAVORIAMO SULLA LINGUA

12. Trasformate le frasi seguenti riscrivendole nella forma impersonale (fate attenzione all'oggetto della frase).

Esempio: Le persone non devono guidare se hanno bevuto.
Non si deve guidare se si è bevuto.

Le persone non devono mangiare cibi pesanti prima di dormire.
Non si devono mangiare cibi pesanti prima di dormire.

1. In Italia *le persone usano* molto il pronto soccorso perché *molti non conoscono* tutti i servizi offerti dalla sanità pubblica.
   . . . .
   . . . .

2. Quando *le persone stanno* male di notte *possono chiamare* la guardia medica o se *sono gravi possono chiamare* il 118.
   . . . .
   . . . .

3. *I pazienti non devono pagare* il medico di base e spesso non *devono prendere* appuntamento.
   . . . .
   . . . .

4. *Le persone devono tenere* il numero del medico di base a portata di mano.
   . . . .

5. *Il paziente deve dare informazioni* chiare quando *chiama* il 118 o la guardia medica.
   . . . .

13. Completate le frasi seguenti usando il condizionale dei verbi indicati tra parentesi.

1. La prevenzione .... (dovere) essere una componente fondamentale di un sistema sanitario.
2. (andare) .... tu in farmacia per prendermi le medicine?
3. Con una giornata così .... (uscire) a fare una bella passeggiata, invece ho la febbre e devo stare in casa!
4. Loro .... (venire) volentieri a trovarti, ma tu hai detto a tutti che non vuoi vedere nessuno!
5. (fare) .... bene a non prendere freddo! Sei ancora convalescente!

14. Completate il testo seguente inserendo il condizionale dei verbi *potere, dovere, volere*.

Consigli per chi vuole smettere di fumare

1. Tu .... smettere di fumare completamente da un giorno all'altro e decidere il giorno in cui .... smettere.

2. .... chiedere l'aiuto degli amici, dei familiari e dei colleghi domandando il loro sostegno.
3. Se la voglia di fumare è forte (la crisi in verità dura 3-5 minuti) .... bere molta acqua e .... fare profonde inspirazioni e .... pensare alle ragioni per cui non .... più fumare.
4. .... evitare di frequentare ambienti dove si fuma e .... incontrare non fumatori, almeno per i primi tempi.
5. .... mangiare leggero, molta frutta e verdura, ... evitare l'alcol e il caffè, ... aumentare l'attività fisica. Questo diminuisce il rischio di aumentare di peso!
6. .... eliminare tutti i pacchetti di sigarette, accendini e gli oggetti che ricordano il fumo.
7. Da ricordare che .... ingrassare nel lungo periodo e che l'eventuale aumento di peso è reversibile quando il metabolismo del corpo si è abituato al cambiamento di abitudini.

È vero che in molti casi si riesce a smettere solo dopo alcuni tentativi, ma ogni tentativo è diverso dal precedente e questo potrebbe essere quello buono.

15. Abbinate a ciascuna delle frasi seguenti la nuvoletta corrispondente (quella, cioè, in cui *ecco* o *allora* hanno lo stesso significato che nella frase).

1. ■ Allora ci vediamo tra un mese.
2. ■ Ecco, è tutto pronto, deve solo leggere e firmare.
3. ■ Non hai ancora telefonato. Allora, lo fai o no?
4. ☑ Se usi questo tono, allora non voglio discutere!
5. ■ Beh, ecco, diciamo che non ci ho ancora pensato...
6. ■ Ecco qui la sua ricetta.

> **a.** Allora, siete pronti o no?

> **c.** Allora abbiamo finito. Sei stanca?

> **b.** Ecco fatto, deve solo firmare qui.

> **f.** Beh... volevo dire che non posso venire.

> **d.** Allora non parliamone più!

> **e.** Ecco il certificato.

16. Completate le frasi seguenti inserendo i verbi *potere*, *dovere*, *volere* al presente indicativo o condizionale.

1. – Servizio prenotazioni visite specialistiche, buongiorno.
   – Salve, ... prenotare una visita oculistica.
   – Certo signora, mi .... dare il suo numero di codice?
2. – Che cosa .... fare per prenotare una visita specialistica?
   – .... chiamare il numero verde oppure andare al CUP.
3. Le persone che hanno bevuto non .... guidare.
4. .... andare in farmacia a prendere le medicine? Io non ho tempo oggi, ... lavorare.
5. Quando chiami il 118 .... dare il tuo indirizzo completo.
6. Se non sei contento del tuo medico di base lo .... cambiare.

RIEPILOGO GRAMMATICALE

■■ IL CONDIZIONALE

Il condizionale presenta due tempi: uno semplice (il condizionale presente) e uno composto (il condizionale passato).

Con il condizionale presente si indica l'**eventualità nel presente**, con il condizionale passato l'**eventualità nel passato**:

desidererei parlare con lui (adesso);

avrei desiderato parlare con lui (ieri, l'altro ieri ecc.).

Condizionale presente

	mangiare	prendere	partire
Io	mange**rei**	prende**rei**	parti**rei**
Tu	mange**resti**	prende**resti**	parti**resti**
Lui/Lei	mange**rebbe**	prende**rebbe**	parti**rebbe**
Noi	mange**remmo**	prende**remmo**	parti**remmo**
Voi	mange**reste**	prende**reste**	parti**reste**
Loro	mange**rebbero**	prende**rebbero**	parti**rebbero**

I verbi *andare*, *potere*, *dovere*, *vedere*, *sapere*, *avere*, *vivere*, *cadere*, *fare*, *dire*, *dare* e *stare* perdono la "e" della desinenza.

Io	andrei
Tu	andresti
Lui/Lei	andrebbe
Noi	andremmo
Voi	andreste
Loro	andrebbero

Verbi irregolari

bere	**berrei, berresti, berrebbe, berremmo, berreste, berrebbero**
proporre	**proporrei, proporresti, proporrebbe, proporremmo, proporreste, proporrebbero**
rimanere	**rimarrei, rimarresti, rimarrebbe, rimarremmo, rimarreste, rimarrebbero**
tenere	**terrei, terresti, terrebbe, terremmo, terreste, terrebbero**
tradurre	**tradurrei, tradurresti, tradurrebbe, tradurremmo, tradurreste, tradurrebbero**
venire	**verrei, verresti, verrebbe, verremmo, verreste, verrebbero**
volere	**vorrei, vorresti, vorrebbe, vorremmo, vorreste, vorrebbero**

Condizionale passato

Io	avrei	
Tu	avreste	
Lui/Lei	avrebbe	
Noi	avremmo	*mangiato, bevuto, dormito* volentieri a casa nostra
Voi	avreste	
Loro	avrebbero	

Io	sarei		
Tu	sareste		
Lui/Lei	sarebbe	*andato/a/i/e*	volentieri a casa nostra
Noi	saremmo		
Voi	sareste		
Loro	sarebbero		

Uso del condizionale

Il condizionale esprime un desiderio, una possibilità, un'eventualità che non si realizza al momento (condizionale presente: *andrei volentieri in vacanza ma non ho soldi; Luigi **farebbe** volentieri un lavoro part-time, ma la ditta non glielo permette*) e che non si è realizzata nel passato (condizionale passato: ***avrei voluto** salutare Maria, ma è partita senza avvisarmi; Luca **sarebbe andato** in Francia con Luisa, ma si è ammalato ed è rimasto a casa*).

Il condizionale presente è il tempo della cortesia, usato per rendere più formale una richiesta o meno duro un rifiuto.

*Mi **potresti** ripetere il nome?*

*Ti **dispiacerebbe** tacere e lasciarmi in pace?*

***Potresti** aprire la porta?*

*Mi **faresti** un favore?*

***Potrebbe** ripetere?*

Nella lingua parlata, quando un'azione non è realizzata nel passato, si tende molto spesso a usare l'imperfetto indicativo invece del condizionale passato.

***Avrei voluto** dirtelo, ma mi è mancato il coraggio = **Volevo** dirtelo, ma mi è mancato il coraggio.*

***Sarei dovuta** andare a trovare Maria, ma non sono andata = **Dovevo** andare a trovare Maria, ma non sono andata.*

Nel linguaggio giornalistico si usa il condizionale per esprimere il dubbio di chi riferisce una notizia o informazioni incerte.

*Secondo i famigliari il medico **sarebbe** colpevole.*

*Secondo quanto pubblicato dal giornale locale, il preside della scuola **avrebbe proibito** l'uso dei cellulari.*

N.B.

Il condizionale passato esprime un'azione futura del passato, cioè indica posteriorità rispetto al tempo passato.

*Mi aveva detto che **sarebbe venuta** di sicuro.*

*Ci aveva promesso **che avrebbe pagato** il debito.*

■■■ FORMA IMPERSONALE

Tutti i verbi, transitivi o intransitivi, possono essere usati impersonalmente facendo precedere dal pronome ***si*** la terza persona singolare di ogni tempo: *si pensa, si penserà, si è pensato* ecc.

Il ***si* impersonale** deve sempre essere espresso, non può essere sottinteso.

Si prevede l'accordo di numero tra il verbo e l'oggetto diretto:
*si **mangia** un gelato;*
*si **mangiano** due gelati.*

Tutti i verbi impersonali nei tempi composti hanno l'ausiliare *essere*.
Se il verbo presenta già la forma di *essere* come ausiliare, il participio passato si accorda al plurale:
***si è arrivati** troppo presto;*
***si è partiti** con ritardo dall'aeroporto.*

Nei tempi composti il participio passato si accorda nel genere e nel numero con l'oggetto:
***si è venduto** molto latte;*
***si è venduta** molta frutta;*
***si sono venduti** molti libri;*
***si sono vendute** molte scarpe.*

Gli aggettivi che seguono la forma impersonale sono sempre espressi al plurale:
*quando si è **poveri** si vive male.*

Quando la forma impersonale presenta un oggetto espresso, spesso si tratta di una forma passivante (*vedi* Unità 9).
In molti paesi si parlano più lingue.

In questo caso il verbo si coniuga alle terza persona singolare o plurale a seconda del numero dell'oggetto espresso.
Ieri sera si è visto un bellissimo film.
Ieri sera si sono visti due spettacoli teatrali.

Per esprimere l'impersonale è possibile usare altre modalità.

• Si può usare la **terza persone plurale**: *dicono che pioverà.*

• Si può usare un **pronome indefinito**: *quando **uno** fa sempre di testa sua.*

• Nel parlato e nel linguaggio della pubblicità si usa il *tu* in senso generico: *se **hai** mal di testa, **prendi**...*

■■■SEGNI DISCORSIVI DEL PARLATO: *ALLORA, ECCO*

Allora serve per iniziare un discorso.
Allora, facciamo un giro e poi andiamo al cinema.

Si usa anche per prendere il turno nella conversazione.
Ma allora, scusa, devo proprio dire che hai torto!

Ecco si usa per sottolineare un punto centrale del discorso.
Ecco, il punto è che dai dati analizzati...

Si usa anche per esprimere un accordo.
Ecco, vedi, tu hai ragione ma...

Si usa inoltre per aprire il discorso o prendere la parola.
Ecco fatto, che ne dici?

■■■ESERCIZI

1. Completate le frasi seguenti inserendo la forma impersonale dei verbi indicati tra parentesi.

1. Se .... (mangiare) sano .... (avere) meno problemi di peso.
2. Smettere di fumare .... (potere). Con un gruppo si sostegno è più facile.
3. Perché non ci si può curare come .... (volere)?
4. In Italia .... (vivere) meglio nei piccoli centri piuttosto che nelle grandi città.
5. .... (vedere) se una persona sta bene.
6. In una dieta equilibrata .... (mangiare) molte verdure, poca carne e molto pesce.
7. Quando .... (essere) ricchi, spesso non .... (conoscere) i problemi della gente comune.
8. Se .... (parlare) più di una lingua è più facile imparare altre lingue.
9. .... (dire) molte cose spiacevoli su Luigi, ma non so se siano vere.
10. Oggigiorno .... (guardare) troppa televisione.

2. Trasformate le frasi evidenziate riscrivendole nella forma impersonale.

1. Con la riforma del ministro Bersani, **gli italiani possono comprare** molti medicinali con uno sconto fino al 30% sul prezzo.
   ....
2. Dal settembre 2006 molti **"corner della salute" hanno aperto** nei supermercati Coop su tutto il territorio nazionale.
   ....
3. In tutti i centri commerciali i **"corner della salute" hanno** la medesima ambientazione e sono caratterizzati dagli stessi colori – come succede in altri paesi –, **così le persone possono subito riconoscerli.**
   ....
   ....
4. A tutela del consumatore, **la normativa italiana prevede** nei "corner della salute" la presenza di un farmacista che consiglia il cliente sul tipo di farmaco e sull'uso da farne.
   ....
5. **La normativa prevede** inoltre la vendita nei supermercati dei soli farmaci che non hanno bisogno di ricetta medica.
   ....
6. Per i farmaci che necessitano di una **ricetta i consumatori devono andare** in farmacia.
   ....

3. Completate le frasi seguenti inserendo la forma impersonale dei verbi indicati tra parentesi.

1. In quel ristorante .... (mangiare) dell'ottimo pesce.
2. Il vino bianco .... (dovere) servire sempre freddo.
3. La merce comprata in saldo non .... (potere) cambiare.
4. Quest'anno .... (vendere) pochi vestiti invernali perché non ha fatto freddo.
5. L'anno scorso .... (registrare) temperature tropicali in tutta Europa.
6. Non .... (vedere) mai una cosa del genere!
7. In questo negozio non .... (fare) credito.
8. Non .... (vedere) più molti bambini che giocano nei cortili.

4. Completate le frasi seguenti coniugando al condizionale presente i verbi indicati tra parentesi.

1. .... (prendere) volentieri un caffè, ma poi so che non .... (riuscire) a dormire stanotte.
2. Per favore mi .... (dare) una mano con questi pacchi?
3. Forse tu non .... (dovere) insistere.
4. Scusa, mi .... (prestare) il giornale quando hai finito?
5. .... (bastare) poco per mettersi d'accordo!
6. .... (venire) volentieri alla tua festa, ma purtroppo devo lavorare.
7. .... (potere) andare tu a scuola a parlare con gli insegnanti?
8. .... (fare) meglio a non dirgli nulla, lo sai che tipo è!
9. Ti .... (aiutare) volentieri, ma devo assolutamente andare dal dottore per mia figlia.
10. .... (restare) volentieri fino a domani, ma abbiamo preso un altro impegno.

5. Completate le frasi seguenti coniugando al condizionale presente o passato i verbi indicati tra parentesi.

1. Venite alla riunione sindacale? – Veramente io .... (dovere) andare alla riunione dei genitori a scuola.
2. Voi non .... (immaginare) mai una cosa del genere!
3. Pensavo che prima o poi lui .... (accettare) quel lavoro.
4. Invito anche Luisa perché so che .... (rivedere) molto volentieri tutti noi.
5. Sapeva che .... (perdere) il concorso ma ha tentato lo stesso.
6. Ti .... (prestare) volentieri la bicicletta ma ha una ruota bucata.
7. Non si .... (dire) che sei stata a letto una settimana con la febbre. Hai un'ottima cera!

8. Per favore, signorina, ... (potere) dire al dottore che sono arrivata?

9. Non avevi detto che .... (tornare) prima di cena e così non ti ho aspettato per mangiare.

10. Io .... (volere) lavorare come "medico senza frontiere", ma sono rimasta incinta e non sono più partita.

6. Completate le frasi seguenti secondo l'esempio.

Esempio:(venire volentieri alla riunione) ..., ma devo lavorare tutto il giorno.
Verrei volentieri alla riunione, ma devo lavorare tutto il giorno.

1. (prestare la macchina) ....,
ma è dal meccanico.

2. (ospitare il ragazzo australiano) ....,
ma non so parlare inglese.

3. (venire anche loro) ....,
ma sono rimasti a casa perché la madre si è ammalata.

4. (andare a teatro con loro) ....,
ma sono rimasta a casa con la febbre.

5. (fare un viaggio) ....,
ma questo mese sono proprio al verde.

7. Riscrivete le frasi seguenti al passato.

1. L'insegnante dice che la prossima settimana ci sarà una prova di verifica. Dice anche che nel test ci saranno degli esercizi sul condizionale.
L'insegnante la settimana scorsa ci aveva detto che ....
....
....
....

2. La mia amica mi dice che quando finirà il tirocinio andremo insieme in Marocco, mi farà conoscere i suoi amici e visiteremo insieme il paese.
L'anno scorso ....
....
....
....

3. La mia amica mi telefona dicendo che non potrà venire con me a Parigi per le vacanze di Pasqua, mi promette però che andremo in Spagna insieme per le vacanze estive.
La mia amica mi ha telefonato la settimana scorsa e ....
....
....
....

CONTENUTI

- Leggere informazioni sui medicinali
- Discutere sui diversi tipi di medicina/cure
- Dare consigli

GRAMMATICA

- *Bisogna che, occorre che* + congiuntivo
- Congiuntivo presente con verbi impersonali
- Segni discorsivi del parlato (*ma dai!, beh*)

---

1. **Leggete il volantino informativo di un consultorio proposto di seguito, quindi, con l'aiuto dell'insegnante, spiegate il significato dei termini e delle espressioni seguenti.**

Contraccezione: ....

Gravidanza: ....

Interruzione di gravidanza: ....

Visita ginecologica: ....

Vaccinazione: ....

IL CONSULTORIO

Che cos'è?
È un servizio gratuito disponibile sull'intero territorio nazionale, creato per tutelare la salute psicofisica e sociale della donna, delle coppie, dei bambini e delle bambine.

Quali servizi offre?

- ✔ Consulenze e visite sulla contraccezione.
- ✔ Assistenza durante e dopo la gravidanza.
- ✔ Corsi di preparazione alla nascita.
- ✔ Consulenze, visite e certificati per l'interruzione della gravidanza.

- ✔ Controlli ginecologici periodici.
- ✔ Screening e prevenzione dei tumori femminili.
- ✔ Consulenza e assistenza durante la menopausa.
- ✔ Assistenza pediatrica.
- ✔ Consulenza e assistenza alle coppie.

2. TRACCIA 08 **Ascoltate il dialogo e, con l'aiuto del volantino proposto nell'esercizio 1, elencate i nomi di alcuni servizi/programmi offerti dal consultorio e descriveteli brevemente.**

_____
_____
_____
_____
_____
_____
_____

3. **Sostituite le espressioni in neretto con alcune delle parole e delle espressioni seguenti (più di una scelta è possibile).**

giusto • vero • non mi dire • allora • voglio dire • davvero • e così • come sai • capisci

1. – Sì, mi hanno mandato la lettera per fare il pap test, **sai** il programma screening. Me la mandano ogni tre anni... **beh** eccomi di nuovo qui. Anche tu?
   . . . .
   . . . .

2. – Sì, me lo hanno rinnovato per altri tre anni.
   – Sarai contenta **no**?
   . . . .
   . . . .

3. – Ah, non lo sapevi? Aspetta un bambino.
   – **Ma dai**, che bello! E di quanti mesi...
   . . . .
   . . . .

4. – E nessuno mi aveva detto niente! Proprio una bella notizia, lei è contenta **no**?
   – Molto e sta seguendo un corso prenatale proprio qui. Mi ha detto che è molto interessante e utile, sai lei è sola qui e così si sente seguita... **sai com'è**, il primo figlio...
   . . . .
   . . . .
   . . . .
   . . . .

4. Osservate le pubblicità dei farmaci e abbinate la medicina giusta a ciascuno dei 5 personaggi illustrati; infine, dite quale tipo di indisposizione possono curare le medicine indicate.

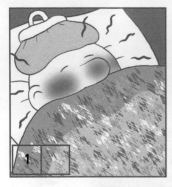

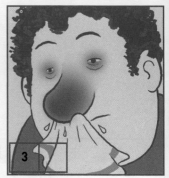

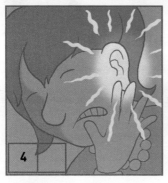
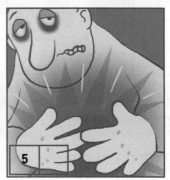

1, 4

a. Contro mal di testa, mal di denti e nevralgie bastano un paio di pastiglie Painkill

3

b. Raffreddore, naso chiuso e testa pesante? Mucochil mucolitico in bustine soluzione orale

c. Con Noflu in poco tempo spariscono i sintomi dell'influenza! 12 compresse effervescenti

1

d. Contro il mal di orecchi Eardrops gocce

4

5

e. Contro indigestione e pesantezza di stomaco Selz compresse

Painkill ....

Mucochil ....

Noflu ....

Eardrops ....

Selz ....

5. Rispondete alle domande seguenti.

1. Sulla confezione dei farmaci è scritto "Leggere attentamente le avvertenze contenute nel foglio illustrativo": secondo voi, perché questa raccomandazione?
   ....

2. Che cosa significa l'espressione "Tenere il medicinale fuori dalla portata dei bambini"? Dove tenete normalmente i medicinali?
   ....
   .... presump.trai

3. Che cosa significa l'espressione "Da vendersi dietro presentazione di ricetta medica"? Secondo voi, perché questa raccomandazione?
   ...in cinta...... una donna incinta.... pregnant woman......
   ....

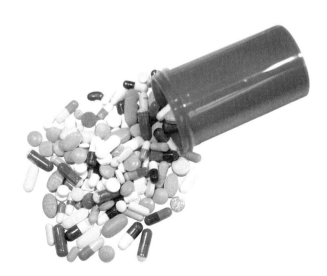

6. Leggete che cosa dicono queste persone provenienti da diversi paesi.

ginger

Mia madre per il mal di stomaco mi preparava acqua calda con zucchero caramellato.

Mi ricordo che, da piccola, per il mal di stomaco bevevo tisane di camomilla.

Aglio bollito nell'acqua con limone e <u>zenzero</u> per il raffreddore.

Iran

Italia

Kenya

Per il mal di testa mia nonna mi metteva un panno imbevuto con acqua e <u>aceto</u> *vinegar* sulla fronte.

Noi invece dell'aceto usavamo il bergamotto.

Noi usavamo limone con acqua calda per l'indigestione.

Italia

Marocco

Italia

Nigeria

Mia nonna mi metteva impacchi di olio caldo sull'orecchio quando mi faceva male.

Gargarismi con acqua e aceto per il mal di gola e, dopo, un bel cucchiaio di miele.

Italia

Per depurare il corpo mia madre ci preparava una tisana con l'erba kinkeliba.

Italia

7. Conoscete anche voi alcuni rimedi tradizionali? Elencate alla lavagna tutti quelli che ricordate, quindi discutete sul tema seguente.

Per le piccole indisposizioni, preferite un metodo tradizionale o andate in farmacia?

8. Osservate il grafico e rispondete alle domande seguenti.

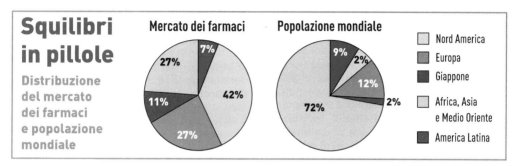

La popolazione di Asia, Africa e Medio Oriente costituisce il 72% della popolazione mondiale.

1. Qual è la percentuale dei farmaci usati in questi paesi?
   ....

2. Qual è la percentuale dei farmaci usati negli Stati Uniti? Da quale percentuale della popolazione mondiale?
   ....

3. Perché le multinazionali farmaceutiche non investono nei paesi in via di sviluppo?
   ....

9. Leggete i brani seguenti, quindi, in coppie o in piccoli gruppi, rispondete alle domande.

Brano 1

I farmaci generici: che cosa sono?

I farmaci generici sono le medicine realizzate e commercializzate senza pagare *royalty* ("diritti") alle case farmaceutiche che brevettano la maggior parte dei farmaci. Esattamente come la specialità medicinale da cui derivano, i farmaci generici possono essere sia da banco (e quindi acquistabili senza ricetta medica) sia prescrivibili (e quindi ottenibili solo dietro presentazione della ricetta).

Il farmaco generico è per legge "bioequivalente" alla specialità medicinale registrata, deve cioè contenere lo stesso principio attivo nella medesima dose, prevedere la stessa via di somministrazione e presentare le stesse indicazioni terapeutiche. Quando un farmaco generico arriva in farmacia, è stato accertato che il suo comportamento è completamente sovrapponibile a quello del medicinale di riferimento.

L'unica grande, importante differenza fra specialità medicinali e farmaci generici è nel prezzo di vendita: i medicinali generici costano molto meno e questo permette notevoli risparmi non solo alle persone ma anche al nostro servizio sanitario nazionale.

Tuttavia i paesi in cui si producono tuttora i farmaci generici (Brasile, India e Thailandia) dovranno a breve aderire ai Trips (accordi multilaterali sulla proprietà intellettuale, cioè i brevetti) e non potranno più produrre farmaci generici.

Le case farmaceutiche che ricevono le *royalty* sostengono che i brevetti sono necessari per finanziare la ricerca sui farmaci, che ha tempi lunghi ed è molto costosa; in realtà il 90% del denaro ricavato dalla riscossione delle *royalty* è investito sulla ricerca di rimedi a problemi sanitari che riguardano i paesi ricchi (obesità, calvizie, impotenza, patologie cardiovascolari) e solamente il 10% del denaro è destinato alla ricerca per cure di infezioni che minacciano le popolazioni di Africa, Asia e Sud America.

Brano 2

Gli italiani e i farmaci

Come si comportano i consumatori italiani e qual è il loro grado di conoscenza dei farmaci?

Il 73% degli intervistati conosce il corretto significato dell'espressione "farmaco generico"; il 12% lo confonde con i medicinali che si acquistano in farmacia senza ricetta; l'8% ritiene sia quel prodotto consigliato dal farmacista sulla base dei sintomi indicati dal paziente; il 6% lo colloca tra i medicinali acquistabili, per esempio, nei supermercati; l'1% crede si tratti di un rimedio omeopatico alternativo, a base di erbe.

Più confuse risultano le idee sugli integratori alimentari, percepiti soprattutto come multivitaminici o sali minerali o multiminerali. Infatti: il 61% degli intervistati dichiara di non averne mai fatto uso; il 6% non sa rispondere alla domanda e non azzarda neppure una definizione sommaria; solo il 5% crede di utilizzarli. Più in generale, questi prodotti risultano usati maggiormente dalle donne, principalmente da quelle residenti nel Nord Italia, e da persone appartenenti ai ceti più istruiti della popolazione.

Il sondaggio nazionale, svolto dal 15 luglio al 22 novembre 2006 dal sito dell'Osservatorio Farmaci & Salute del Movimento Consumatori, in collaborazione con Ipsos, ha fornito altresì dati interessanti sulle abitudini dei consumatori nei riguardi dei medicinali. Il 95% degli intervistati ha dichiarato di attenersi alle prescrizioni mediche durante l'assunzione di farmaci; il 48% degli intervistati, nella fascia d'età più avanzata, controlla regolarmente la scadenza dei farmaci; i foglietti di istruzioni, noti anche come "bugiardini", sono letti dai giovani e dai soggetti più istruiti. Infine, il 55% delle famiglie conserva tutti i medicinali in appositi armadietti, il 39% quasi tutti e solo il 6% nei luoghi giudicati più comodi.

Adattamento da
"Movimento Consumatori" 2007.

1. Che cosa sono i "farmaci generici"?
   ....
2. Qual è la principale differenza tra "farmaco generico" e "specialità medicinale"?
   ....
3. Che cos'e un integratore alimentare? Ne fate uso?
   ....
4. Analizzando i dati raccolti dal sondaggio, che cosa si può affermare sull'uso dei medicinali da parte degli italiani?
   ....

LAVORIAMO SULLA LINGUA

10. Nelle frasi seguenti, sostituite le espressioni tipiche del parlato (evidenziate in neretto) con altre che ritenete abbiano lo stesso significato scegliendo tra quelle indicate.

capisci • vero • non mi dire • allora

1. – Sono riuscita finalmente a entrare in ospedale come fisioterapista.
   – **Ma dai!**
   ....

2. Hai fatto l'esame e sei passata, **no**? Che importa se non hai preso il massimo dei voti!

....

3. Maria ha fatto venire sua madre per il parto. **Sai**, suo marito è sempre in viaggio...

....

4. Non sapevo se venire o no, poi mi sono detta: se non vuole vedermi me lo dirà. **Beh...** eccomi qui!

....

its a good idea

11. Riscrivete le frasi seguenti usando i verbi impersonali *bisogna, occorre/occorrono, conviene, basta/bastano*.

advisable

Esempio: I medici dovrebbero prescrivere i farmaci generici per diminuire la spesa sanitaria. *shopping health expenditure*
Bisogna prescrivere farmaci generici per diminuire la spesa sanitaria.

1. Le medicine si devono prendere con attenzione.
Bisogna prendere con attenzione le medicine ✓
2. Sono sufficienti due pillole per il mal di testa.
Basta prendere due pillole per il mal di testa B ✓
3. Dopo un'operazione il paziente dovrebbe stare a riposo.
Bisogna stare a riposo dopo un'operazione ✓
4. In questo caso si deve chiamare l'ambulanza.
In questo caso bisogna chiamare l'ambulanza ✓

12. Riscrivete le frasi seguenti usando i verbi impersonali indicati tra parentesi.

Esempio: Prima di un esame impegnativo o di un intervento, *raccogli* più informazioni. Oltre al tuo medico di famiglia *interpella* specialisti e associazioni (occorrere, convenire).
Prima di un esame impegnativo o di un intervento, **occorre raccogliere** più informazioni. Oltre al tuo medico di famiglia **conviene interpellare** specialisti e associazioni.

1. Prima devono chiederti il consenso: è un documento che *devi firmare* prima di interventi ed esami invasivi. *Firma* solo se hai capito bene (bisognare, convenire).
Bisogna firmare
conviene firmare
2. Se non capisci, non firmare: *prendi* tempo e telefona al medico di famiglia per capire meglio (occorrere).
Occorre prendere
3. In ospedale per sapere il tuo stato di salute *puoi chiedere* di vedere la tua cartella: già durante il ricovero o, in copia, alla dimissione (bastare).
basta chiedere
4. Prima il preventivo: se ti rivolgi a una casa di cura, a un dentista, a un ambulatorio privato, *chiedi* sempre prima un preventivo di spesa (occorrere).
Occorre chiedere

13. Completate le frasi seguenti inserendo il congiuntivo dei verbi indicati tra parentesi.

1. Occorre che Majida ...... *ottenga* .... (ottenere) al più presto il permesso di soggiorno.
2. Dispiace a tutti che loro .... *tornino* .... (tornare) al loro paese.
3. Bisogna che tu ..... *faccia* .... (fare) al più presto queste analisi.
4. Succede spesso in Italia che uno straniero .... *venga* .... (venire) trattato male?
5. Conviene che .... *esca ~~usciate~~* ... (uscire) dalla stanza e lo lasciate solo.
6. Basta che tu le .... *dica* .... (dire) la verità e lei capirà.

14. Leggete il dialogo seguente evidenziando di volta in volta il pronome corretto.

– Ciao Bianca, dove vai di corsa?
– Devo comprare un regalo per il figlio di Fariba e Ismail. Tu **te lo / glielo / glieli** hai già comprato?
– Sì, sono andata ieri a casa loro e **me lo / ve lo / glielo** ho portato.
– Non so proprio che cosa comprar- **-gli / -le / -lo**. Tu sai che cosa **gli / le / vi** serve per il bimbo?
– So che hanno fatto una lista di cose utili. Non **te lo / ve lo / ce lo** hanno detto?
– No, non **me lo / ve lo / te lo** hanno detto, forse si sono dimenticati, **li / gli / le** ho visti di corsa per strada la settimana scorsa, sembravano molto stanchi.
– Sì, con un neonato non si dorme molto. A te piacciono i bambini, potresti offrirti come baby-sitter una volta alla settimana. **Glielo / Me lo / Te lo** potresti offrire come regalo!
– Ottima idea! **Glielo / Te lo / Me lo** propongo subito! **Li / Gli / Le** vado a trovare adesso!

15. Riscrivete le frasi seguenti sostituendo alle espressioni evidenziate i pronomi combinati.

Esempio: I medici dovrebbero prescrivere più spesso **medicinali generici ai pazienti**.
*I medici **glieli** dovrebbero prescrivere più spesso.*

1. L'azienda **ti** deve dare **il permesso di maternità**.

   ....

2. Lo Stato deve garantire **ai suoi cittadini un buon servizio sanitario**.

   ....

3. Il mio medico **mi** ha prescritto **una ricetta**, ma non ha messo la data!

   ....

4. **Ti** hanno detto che **Luisa è a casa con una gamba rotta**?

   ....

5. **Vi** porto **un barattolo di miele** per Mario che ha mal di gola.

   ....

6. Ho dato **a Miriam l'indirizzo di un consultorio più vicino a casa sua**.

   ....

7. **Ti** ho comprato **le medicine** che mi avevi chiesto.

   ....

8. Se avete bisogno di una buona pediatra **vi** do **l'indirizzo della mia**.

   ....

RIEPILOGO GRAMMATICALE

■■■ PRONOMI DIRETTI CON PRONOMI INDIRETTI

Quando un pronome indiretto e un pronome diretto si trovano nella stessa frase, si uniscono e formano un pronome combinato.

– *Chi ti ha regalato questo libro?*
– **Me lo** *ha regalato Mary.* **(mi + lo)**

Quando formano un pronome combinato i pronomi indiretti **mi**, **ti**, **ci**, **vi** cambiano la vocale da "**i**" in "**e**".

– *Mi presti la macchina?*
– *Sì,* **te** *la presto volentieri.* **(ti + la)**

I pronomi combinati di terza persona singolare e plurale sono:
glielo – gliela – glieli – gliele

I pronomi combinati, come i pronomi diretti, concordano con il participio passato del verbo (-o, -a, -i, -e):

– *Ti hanno dato* **il referto** *degli esami che hai fatto?*
– *No, non* **me** *l'hanno ancora dato.*

Maria mi ha chiesto **la macchina** *e io* **gliel'**ho prestata.

Gli abbiamo chiesto **i libri** *di fisica e* **ce li** *ha dati subito.*

Ho prestato **le mie chiavi** *a Marco perché aveva dimenticato le sue.* **Gliele** *ho già prestate tre volte questo mese!*

Pronomi diretti	Pronomi indiretti	Pronomi combinati
mi		me lo/me la/me li/me le
ti		te lo/te la/ te li/te le
gli/le	lo/la/li/le	glielo/gliela/glieli/gliele
ci		ce lo/ce la/ce li/ce le
vi		ve lo/ve la/ve li/ve le
gli		glielo/gliela/glieli/gliele

I pronomi combinati atoni diretti possono combinarsi anche con:

• **ne** (partitivo; *vedi* Unità 8)
  Ho comprato troppa frutta, **te ne** *porto un po'!*

• **si** (impersonale)
  Non **vi si** *può lasciare soli un attimo!*

I pronomi diretti possono combinarsi anche con il **si** riflessivo.
Vuoi un caffè? No grazie, **me ne** *sono già presi due oggi.*

Si può anche combinare il **si** riflessivo con il **si** impersonale ma, in questo caso, poiché due **si** risulterebbero cacofonici, il primo diventa **ci**:
In inverno **ci si** *sveglia che è ancora buio.*

In italiano esistono **verbi idiomatici** che hanno incorporato un doppio pronome. I più comuni sono i seguenti.

Cavarsela	Trovare una soluzione, superare una prova, saper fare abbastanza bene una cosa. *Ha dovuto parlare in pubblico per la prima volta e* **se l'è cavata** *abbastanza bene.*

Farcela	Riuscire. *Dopo decine di domande **ce l'ha fatta**! Ha trovato lavoro.*
Mettercela tutta	Fare il possibile, impegnarsi moltissimo. *Franco nel suo lavoro **ce l'ha messa tutta**, ma lo hanno licenziato lo stesso.*
Prendersela	Offendersi. *Non so come dirlo a Marco, **se la prende** per niente.*
Vedersela brutta	Trovarsi in una situazione pericolosa, sgradevole. *L'altra sera **me la sono vista** proprio **brutta**, mi si è bucata una gomma in autostrada!*

■■■ VERBI IMPERSONALI

Si possono rendere impersonali coniugandoli alla terza persona singolare i seguenti verbi:

(ab)bisognare – bastare – convenire – mancare – occorrere – succedere.

Quando il nome che segue il verbo nella forma impersonale è al plurale, il verbo va alla terza persona plurale.
*Mi **bastano** due minuti per finire.*

Se il verbo impersonale regge una frase introdotta da *che*, il verbo di questa va al congiuntivo.
Basta che tu lo dica.
Occorre che chiamino il medico.
Bisogna che tu vada dal dottore al più presto.

■■■ ALCUNI SEGNI DISCORSIVI DEL PARLATO

Aprire, attaccare un discorso	Esprimere sorpresa	Esprimere incredulità
Allora...	Davvero!	Non mi dire!
Ecco...	Ma dai!	No!
Beh...	Ma va!	Non ci credo!

■■■ ESERCIZI

1. Completate le frasi seguenti inserendo i pronomi combinati e, ove richiesto, concordando il participio passato.

1. – Majida vorrebbe un vestito nuovo per la festa di fine anno.
   – Va bene, ... compriamo.
2. – Marco, perché hai preso questo brutto voto?
   – .... ho già detto, non avevo gli appunti.
3. – Hai già detto a Luis che non andremo a casa sua in Spagna per Natale?
   – Perché non .... dici tu?
4. – Mamma, usi la bicicletta oggi?
   – Se ne hai bisogno .... posso prestare, oggi non sono di turno all'ospedale.

RIEPILOGO GRAMMATICALE

5. – Sandra ha perso gli orecchini.
   – Dille di non preoccuparsi, ... ho trovati sotto il tavolo.
6. Mi aveva chiesto dei soldi in prestito e ora .... ha restituit......
7. Se hai qualche problema, lo sai che .... puoi dire tranquillamente.
8. Dottore, mi fa male l'orecchio, ... può controllare?
9. Ho comprato questo regalo per Maria, ... spedirò subito.
10. Il medico aveva già espresso la sua diagnosi a Juan e, dopo le analisi, ... ha confermat......

2. **Completate le frasi seguenti usando i pronomi combinati.**

1. – Per favore, puoi dare questo libro a Majida?
   – Sì, ...
2. – Oggi offri tu il caffè perché non ho un centesimo.
   – Va bene, ...
3. – Quando mi presenti le tue cugine?
   – .... la prossima settimana.
4. – Mi fai vedere la tua borsa nuova?
   – Certamente, ...
5. – Signora Ferri, le devo dire una cosa importante.
   – D'accordo, ...
6. – Ma davvero vuoi regalare a Maria un anello di fidanzamento?
   – Sì, ...
7. – Mi presteresti i tuoi appunti della lezione scorsa?
   – .... volentieri, ma purtroppo ero assente anch'io.
8. – Quando mi portate i compiti?
   – .... lunedì prossimo.
9. – Avete detto a Njida che la prossima settimana non c'è lezione?
   – Sì, ...
10. – Ti hanno già dato i risultati del test?
    – No, ancora ....

3. **Completate le frasi usando le espressioni seguenti.**

davvero! • ecco • non ci credo! • ma va! • allora • beh

1. Marta ha finalmente trovato lavoro! ....! Non ci posso credere!
2. Mi hanno detto che Luis è tornato al suo paese. ....! Si era appena sistemato!
3. – Non mi avevi detto che Marta si era separata!
   – ...., non mi sembrava così importante, uscivano da così poco tempo!
4. Posso dirti qualcosa di importante? .... anch'io ho passato un periodo di depressione poco tempo fa.

5. – Mia cugina ha vinto un viaggio in Grecia.
   – .... domani la chiamo e le do il numero di telefono di una mia amica.

6. – Non posso venire con te a Milano.
   – .... potevi dirmelo prima!

4. Riscrivete le frasi seguenti avviandole con l'espressione indicata tra parentesi e modificando di conseguenza le altre parti del discorso.

1. (*Sembra che*) In Italia, i medici prescrivono molte analisi, spesso non ne-
   cessarie, e quindi il costo della spesa per la salute è molto alto.
   ....
   ....

2. (*Basta che tu*) Per scaricare lo stress quotidiano fai mezz'ora di attività
   fisica.
   ....
   ....

3. (*Pare che*) Rispetto a vent'anni fa i bambini sono molto meno attivi.
   ....
   ....

4. (*Si dice che*) Gli italiani all'estero sono molto rumorosi e viaggiano sempre in gruppo.
   ....
   ....

5. (*Occorre che*) Le persone incomincino a mangiare meno e a fare più attività fisica per mantenersi in salute.
   ....
   ....

5. Completate le frasi seguenti inserendo la terza persona singolare o plurale dei verbi indicati tra parentesi.

1. Ti .... (bastare) questo prestito?
2. A Shamira .... (interessare) molto i libri di storia.
3. Non le .... (piacere) le persone che parlano solo di salute.
4. .... (bastare) poco nella vita per essere soddisfatti.
5. .... (mancare) una settimana e poi parto per le vacanze.
6. .... (occorrere) alcune vaccinazioni per viaggiare in certi paesi dell'Asia.
7. Non mi .... (dispiacere) le città di media grandezza, anche se possono essere un po' noiose.
8. Non mi .... (interessare) per niente la vita privata di at-
   tori o attrici!
9. .... (occorrere) molta pazienza per essere una buona infermiera.
10. Mi .... (bastare) due ore per finire i compiti.
11. Sono stanchissimo, ci .... (volere) un bel caffè!
12. Quanto .... (mancare) per arrivare?
13. Ci .... (mancare) due euro per poter entrare al cinema.

TEMA 2
La salute

UNITÀ 6
I servizi ospedalieri

CONTENUTI

- Chiedere consigli
- Offrire suggerimenti
- Valutare offerte di servizi
- Orientarsi in una struttura ospedaliera

GRAMMATICA

- Usi del condizionale
- Trapassato prossimo
- Nomi e aggettivi invariabili
- Formazione di aggettivi da sostantivi
- Preposizione *da*

 1. TRACCIA 09 **Ascoltate l'intervista a Sadia, un'infermiera marocchina, quindi dite se le affermazioni seguenti sono vere o false.**

	V	F
1. Sadia aveva già studiato l'italiano prima di arrivare in Italia.	■	■
2. Sadia ha fatto le superiori in Italia e poi si è iscritta all'università.	■	■
3. Sadia lavora nel reparto di ortopedia come caposala.	■	■
4. Fin dall'inizio Sadia non ha avuto problemi con i colleghi.	■	■
5. La caposala non le ha dato il permesso di lavorare con il velo.	■	■
6. Sadia non ha molti contatti con i pazienti.	■	■
7. Al pronto soccorso sono usati ora dei codici per classificare le urgenze.	■	■

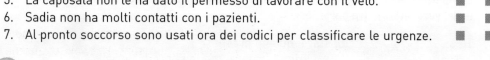

 2. TRACCIA 09 **Ascoltate di nuovo l'intervista a Sadia e completate il testo seguente.**

Intervistatore: Avevi già lavorato come infermiera prima dell'Italia?

Sadia: No, in Marocco studiavo, la ..... *prima* ..... volta ero venuta in vacanza a trovare le ... *mie* ..... sorelle e i miei fratelli che già erano in Italia e poi sono venuta per ... *stare* ..... Avevo già studiato l'... *italiano* ..... in Marocco e in Italia ... *Ho frequentato* dei corsi presso i centri ... *di recupero* ..... e anche a Perugia, all'Università per stranieri.

Intervistatore: Come sei diventata infermiera?

Sadia: Mi sono iscritta all'Università, presso la facoltà di ... *Infermieristica* Prima però avevo dovuto dare l'... *esame* ..... di maturità in Italia. Il corso è durato tre anni e ... *dopo* ..... mi sono iscritta in un'agenzia per il ... *lavoro* ..... e così sono entrata in un ... *ospedale* con un contratto di un anno. Certo, non _sono stata assunta_ subito, ho dovuto aspettare per tutti gli _accertamenti_ e come cittadina straniera non posso essere assunta a _tempo indeterminato_ e non posso accedere ai _bandi_ per i concorsi pubblici.

Intervistatore: In quale reparto lavori?

Sadia: Lavoro in _sala reparto_ nel reparto di ortopedia e faccio anche servizio al _pronto soccorso_, sempre per ortopedia. È un po' _faticoso_ cambiare dal reparto al pronto soccorso e poi di nuovo al _reparto_ e poi siamo sempre di corsa, il _personale_ non sembra mai abbastanza ma il mio lavoro _mi piace_.

Intervistatore: Con i colleghi hai un buon rapporto?

Sadia: All'inizio c'era molta _diffidenza_ nei miei confronti, per il fatto che sono straniera e musulmana con il velo. Mi sentivo molto _sola_. Con il tempo le cose sono cambiate e _adesso_ i rapporti sono amichevoli e _distesi_, anche se io ho dovuto fare molti _compromessi_. Ho imparato a mediare tra le due _culture_; come vedi io uso il velo e al lavoro non posso farlo, perché la _caposala_ non mi ha dato il permesso. _comunque_, dato che io lavoro in sala operatoria, devo portare un copricapo e allora... Va bene _lo stesso_ diciamo.

Intervistatore: E i contatti con i pazienti?

Sadia: Lavorando in sala operatoria non ho molti contatti con i _pazienti_, di solito sono sotto _anestesia_ e quindi non sono esposta a possibili atteggiamenti di _sfiducia_ o sospetto come qualche volta succede a _infermiere_ immigrate dal Sud del mondo in particolare, che lavorano in reparto. Una mia amica che lavora nel reparto di _geriatria_ aveva avuto molti problemi all'inizio, perché le persone anziane non la _volevano_ come infermiera. Adesso la _adorano_ tutti!

Intervistatore: Nel pronto soccorso è usato adesso un sistema di codici per classificare le urgenze ma anche per scoraggiare l'uso non appropriato del servizio, facendo pagare un ticket per le non urgenze. Hai notato qualche cambiamento?

Sadia: Le persone che stanno male sentono il loro _dolore_ e ognuno lo vive in modo diverso ed è difficile dire a _qualcuno_ non devi venire qui, aspetta e fatti vedere dal tuo medico o dal _medico di guardia_. Molti preferiscono pagare il _ticket_ per la visita ma sentirsi sicuri, e il pronto soccorso dà questa _sicurezza_ credo... Ci vuole tempo per abituare le persone a usare tutti gli altri _servizi sanitari_ in modo efficiente anche perché non sempre i servizi funzionano così bene...

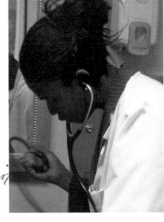

3. Leggete il testo seguente, quindi scegliete la risposta corretta.

IL PRONTO SOCCORSO

Il pronto soccorso è un servizio mediante il quale vengono offerte le prime cure ai casi che richiedono interventi di urgenza-emergenza. In pronto soccorso gli infermieri professionali, appositamente addestrati, effettuano una preliminare valutazione e attribuiscono un codice di gravità.

| Codice bianco | Codice verde | Codice giallo | Codice rosso |

Secondo le nuove regole, chi fruisce del pronto soccorso per un'effettiva urgenza non paga il ticket; chi ne fa uso impropriamente (codice bianco) è tenuto a pagare il ticket in base alle tariffe vigenti per la normale visita medica.

I medici del pronto soccorso, prestate le prime cure urgenti, organizzeranno l'eventuale ricovero nel reparto idoneo o il trasporto protetto del paziente ad altro ospedale se il ricovero non è possibile nella struttura.

Il numero di prestazioni in pronto soccorso, nelle diverse ore della giornata e nei vari giorni della settimana, non è prevedibile e, quindi, difficilmente programmabile. Il buon funzionamento di questo cruciale e delicato servizio dipende dal ricorso che vi fanno gli utenti. Al fine di facilitarne il funzionamento, preghiamo gentilmente i cittadini di rispettare le seguenti indicazioni:
- chi ha bisogno di prestazioni non rinviabili dovrebbe rivolgersi al medico curante o ai medici della guardia medica evitando il pronto soccorso;
- l'utilizzazione del pronto soccorso per cure non urgenti è assolutamente da evitare;
- l'ordine di accesso agli ambulatori del pronto soccorso è stabilito sulla base della gravità della condizione clinica e non dell'ordine di arrivo.

1. Il pronto soccorso è un servizio:
   - a. che presta le prime cure urgenti
   - b. che sostituisce la guardia medica di notte
   - c. rivolto esclusivamente a chi è in punto di morte

2. Il ticket deve essere pagato da:
   - a. tutti
   - b. nessuno
   - c. chi riceve il codice bianco

3. Al pronto soccorso:
   - a. si ritira un numero e ci si mette fila
   - b. l'attesa varia a seconda della gravità delle condizioni del paziente
   - c. chi è su una sedia a rotelle ha la precedenza

4. Con l'aiuto dell'insegnante, discutete tutti insieme le questioni seguenti.

– È giusto che si debba pagare il ticket quando si riceve il codice bianco?
– Siete d'accordo con quanto affermato da Sadia nell'intervista proposta nell'esercizio 2, che cioè le persone continueranno a usare il pronto soccorso anche se tenute a pagare il ticket?

5. L'azienda ospedaliera è una struttura che comprende vari dipartimenti, ognuno dei quali prevede reparti o "unità operative" (per esempio "Medicina 1") e servizi (per esempio "Dermatologia"). Osservate la struttura dell'azienda ospedaliera di Brescia proposta di seguito e, con l'aiuto dell'insegnante, inserite il nome dei dipartimenti indicati.

Materno-infantile • Chirurgico [Surgery] *• Cuore • Testa e collo • Emergenza e urgenza • Neuroscienze • Radiologia e diagnostica • Osteoarticolare • Pneumologico • Geriatrico e riabilitativo*

AZIENDA OSPEDALIERA DI BRESCIA

1. *Emergenza*
Pronto soccorso e medicina d'urgenza • Anestesia, rianimazione e centrale operativa

2. MEDICINA 1
Clinica e immunologia medica • Nefrologia • Genetica medica • Medicina del lavoro e tossicologia industriale

3. MEDICINA 2
Clinica e terapia medica • Ematologia e C.T.M.O. (Centro Trapianti Midollo Osseo) • Endocrinologia • Oncologia medica • Radiologia

4. MEDICINA 3
• Clinica e semeiotica medica • Medicina interna, malattie metaboliche e vascolari • Gastroenterologia e endoscopia digestiva • Malattie infettive ed epatologia • Malattie del ricambio e diabetologia

5. ....
Clinica geriatrica • Geriatria • Medicina riabilitativa

6. *Pn*
Clinica pneumologica • Pneumologia • Fisiopatologia respiratoria

7. *Chi*
Clinica chirurgica e terapia chirurgica • Clinica chirurgica e trapianti d'organo • Chirurgia vascolare • Chirurgia toracica • Urologia • Chirurgia plastica e centro ustioni • Dermatologia • Anestesia, rianimazione e terapia antalgica

8. *Testa e*
Oculistica • Otorinolaringoiatria • Otorinolaringoiatria e otoneurochirurgia • Maxillofacciale • Odontostomatologia

9. *Ost*
Clinica ortopedica • Ortopedia • Reumatologia e medicina interna

10. *N*
Neurologia • Neurochirurgia • Neuroradiologia • Psichiatria

11. *C*
Cardiologia • Cardiochirurgia • Medicina interna e malattie cardiache

12. *mat*
Ostetricia e ginecologia • Neonatologia • Clinica pediatrica • Pediatria e oncoematologia • Chirurgia pediatrica

13. *Radiolo*
Scienze radiologiche
• Radiologia • 2ª Radiologia • 3ª Radiologia • Medicina nucleare

14. DIAGNOSTICA DI LABORATORIO
Analisi chimico-cliniche • Immunoematologia e trasfusionale

15. PATOLOGIA E MEDICINA DI LABORATORIO
Anatomia e istologia patologica • Microbiologia • Virologia

6. Immaginate di essere un medico del pronto soccorso: in quale dipartimento o reparto indirizzereste ciascuna di queste persone?

1. Una signora che dice di essersi rotta un braccio cadendo dalle scale.
....

2. Un signore anziano con un forte dolore al cuore.
....

3. Una ragazza che presenta macchie rosse sulla pelle.
....

4. Un uomo che accusa problemi agli occhi.
....

5. Una signora che non ricorda il proprio nome e non riesce a trovare la strada di casa.
....

6. Una signora al secondo mese di gravidanza con forti dolori addominali.
....

7. Un ragazzo che dice di vedere mostri che lo seguono dappertutto.
....

8. Una giovane con un fortissimo mal di denti.
....

7. Abbinate a ciascun paziente la patologia relativa.

1. Cardiopatico
2. Impotente
3. Obeso
4. Anoressico
5. Anemico
6. Leucemico
7. Tubercoloso
8. Sieropositivo

a. Anemia
b. Anoressia
c. Aids/Sida
d. Tubercolosi
e. Cardiopatia
f. Impotenza
g. Obesità
h. Leucemia

LAVORIAMO SULLA LINGUA

8. Completate le frasi seguenti inserendo l'aggettivo derivato dal nome indicato tra parentesi usando i suffisi -ale, -ile, -ico/a, -atico/a, -istico/a.

1. È bene fare visite *annuali* (anno) di controllo dal proprio medico di famiglia.
2. Quest'anno abbiamo avuto un clima *primaverile* (primavera) anche in inverno.
3. In ospedale si possono visitare i malati dopo il pasto *serale* (sera).
4. La mia amica è molto *anemica* (anemia) e quindi si sente sempre stanca.
5. Se una persona è *cardiopatica* (cardiopatia) non dovrebbe fare sforzi.
6. La situazione sanitaria in molti paesi è *drammatica* (dramma).
7. È stata una malattia lunga e *traumatica* (trauma) per tutta la famiglia.
8. L'apertura del nuovo reparto da parte del sindaco è giudicata da molti un gesto *propagandistica* (propaganda).

9. Con l'aiuto degli esempi, scrivete frasi usando le formule del linguaggio di cortesia.

Esempi: Dovete andare al reparto di cardiologia, ma non sapete dove si trova:
  – *Scusi, mi direbbe dov'è il reparto di cardiologia?*
  – *È al secondo piano, a destra dell'ascensore.*

  Dovete entrare in ascensore con la sedia a rotelle, ma non riuscite a tenere la porta aperta:
  – *Le dispiacerebbe aiutarmi? Non riesco a far entrare la sedia a rotelle in ascensore.*
  – *Certamente, le tengo la porta aperta.*

  Dovete andare all'ospedale, ma non conoscete il numero dell'autobus da predere:
  – *Scusi, potrebbe dirmi quale autobus va all'ospedale?*
  – *Il numero 15, fa capolinea là.*

1. Dovete andare al consultorio, ma non trovate la strada:
  . . . .
  . . . .
  . . . .

2. Siete in treno e qualcuno fuma anche se è vietato; il fumo vi dà fastidio:

....

....

....

3. Sono le due di notte, volete dormire e i vostri vicini fanno troppo rumore:

....

....

....

4. Il vostro orologio è fermo: chiedete l'ora a un passante:

....

....

....

5. Squilla il telefono mentre siete occupati. Chiedete a un amico di rispondere al posto vostro:

....

....

....

10. Con l'aiuto degli esempi, date consigli nelle situazioni descritte di seguito.

Esempi: – *Perché non consulti/a il tuo/Suo medico?*

– *Dovresti consultare il tuo medico.*

– *Dovrebbe consultare il suo medico.*

– *Al posto tuo/Suo io andrei dal mio medico!*

1. Una donna fuma 60 sigarette al giorno.

....

....

....

2. Un giovane ha perso il passaporto.

....

....

....

3. Una ragazza vuole dimagrire.

....

....

....

4. Una signora anziana non mangia per niente frutta e verdura e ha il colesterolo alto.

....

....

....

5. Un uomo è caduto e fa fatica a camminare.

....

....

....

6. Una donna non è soddisfatta del suo medico di base.

....

....

....

11. Completate il brano proposto inserendo le parole e le espressioni seguenti.

di • raffreddore • medicina • medicina orientale • medicina alternativa • benessere •
rassicura • cura • cause • tumore • vita media • pazienti

Nella medicina alternativa (1) .... solito il terapeuta è molto disponibile e sa
gestire molto bene il rapporto con i (2) .... Ciò rappresenta un grosso supporto psicologico che (3) .... il paziente e gli dà fiducia nella (4)
.... suggerita dal terapeuta. Talvolta il paziente può giungere a credere che
l'alternativo possa curare tutto, dal semplice (5) .... alle forme più gravi di
(6) ....
Se però pensate che la (7) .... sia migliore di quella occidentale
dovreste pensare anche che la (8) .... nell'Oriente non è superiore a quella dell'Occidente.
È vero però che nella tradizione della (9) .... si tende a guardare a tutto il corpo e al (10) .... globale e quindi a cercare di curare le (11) .... del malessere e non soltanto gli effetti. Questo
molte volte non avviene nella medicina tradizionale.
Chi si oppone alla medicina alternativa dichiara che l'alternativo esiste solo perché le
grandi conquiste della (12) .... hanno reso la vita migliore per
molti e questi hanno il tempo per preoccuparsi di patologie minori e, quindi, di ricorre-
re alla medicina alternativa.
Alla medicina tradizionale si può comunque rimproverare il frequente delirio di onni-
potenza, che ha portato all'abuso di farmaci e interventi chirurgici e a un rapporto me-
dico/paziente molto spesso impersonale e frettoloso.

**12. Leggete i fumetti tratti dall'intervista di Sadia proposta nell'esercizio 2, sottolineate i
verbi al trapassato prossimo e riflettete sull'uso di questo tempo; quindi, dite in quali
casi il trapassato prossimo è usato in relazione al passato prossimo e quando in relazione all'imperfetto.**

1. La prima volta ero venuta
in vacanza a trovare le mie
sorelle e i miei fratelli che
già erano in Italia.

2. Mi sono iscritta all'Università
presso la facoltà di infermieristica.
Prima però avevo dovuto dare
l'esame di maturità in Italia.

3. Una mia amica aveva avuto
molti problemi all'inizio,
perché le persone anziane
non la accettavano.

13. **Leggete l'e-mail che Marianna ha scritto a una collega, quindi riportatene i verbi nella tabella sottostante suddividendoli in base al periodo cui si riferiscono.**

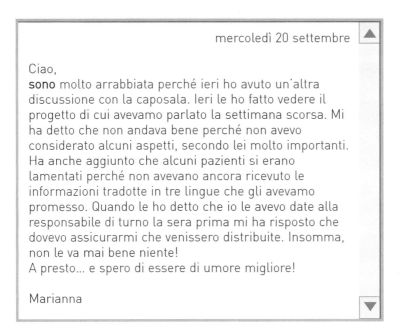

mercoledì 20 settembre

Ciao,
sono molto arrabbiata perché ieri ho avuto un'altra discussione con la caposala. Ieri le ho fatto vedere il progetto di cui avevamo parlato la settimana scorsa. Mi ha detto che non andava bene perché non avevo considerato alcuni aspetti, secondo lei molto importanti. Ha anche aggiunto che alcuni pazienti si erano lamentati perché non avevano ancora ricevuto le informazioni tradotte in tre lingue che gli avevamo promesso. Quando le ho detto che io le avevo date alla responsabile di turno la sera prima mi ha risposto che dovevo assicurarmi che venissero distribuite. Insomma, non le va mai bene niente!
A presto... e spero di essere di umore migliore!

Marianna

Trapassato (lunedì 18 settembre)	Passato (martedì 19 settembre)	Presente (mercoledì 20 settembre)
		Sono

14. **Completate le frasi seguenti usando il trapassato prossimo.**

1. Questa estate sono caduta dalla bicicletta e mi sono rotta il braccio, l'anno scorso invece ....
   ....

2. Mi sono iscritta a un corso di pronto soccorso, due anni fa ....
   ....

3. Adesso non ho più problemi con i pazienti e i colleghi, quando ho iniziato ....
   ....

4. Mio marito ha smesso di fumare un mese fa, io, invece, ...
   ....

5. L'anno scorso non siamo tornati in Marocco per le vacanze, due anni prima, invece,
   ....
   ....

RIEPILOGO GRAMMATICALE

■■■ FORMAZIONE DI AGGETTIVI DA SOSTANTIVI

Diversi suffissi possono essere usati per derivare aggettivi da nomi:

-iale, -ale	ambulator-iale, settiman-ale *G.P. surgery*
-ile	primaver-ile
-are	popol-are
-ico/a	panoram-ica
-atico/a	drammat-ica
-istico/a	automobil-istico

■■■ NOMI INVARIABILI

I nomi invariabili hanno la stessa forma al singolare e al plurale e possono essere raggruppati nel modo seguente.

* Nomi terminanti con una vocale accentata:
  la sanità/le sanità.
* Nomi formati da una sola sillaba:
  il re/i re.
* Nomi terminanti in *-i*:
  l'analisi/le analisi.
* Nomi femminili terminanti in *-ie*:
  la specie/le specie.
* Nomi stranieri:
  il bar/i bar; il pub/i pub.
* Nomi abbreviati:
  la moto(-cicletta)/le moto(-ciclette); la bici(-cletta)/le bici(-clette).

■■■ TRAPASSATO PROSSIMO

Il trapassato prossimo è un tempo formato dall'imperfetto dell'ausiliare *essere* o *avere* unito al participio passato del verbo.

	avere		essere	
Io	**avevo**	studiato	**ero**	arrivato/a (sing.)
Tu	**avevi**	studiato	**eri**	arrivato/a
Lui/Lei	**aveva**	studiato	**era**	arrivato/a
Noi	**avevamo**	studiato	**eravamo**	arrivati/e (pl.)
Voi	**avevate**	studiato	**eravate**	arrivati/e
Loro	**avevano**	studiato	**erano**	arrivati/e

Uso del trapassato prossimo
Il trapassato prossimo (come anche il passato remoto) è un tempo usato solitamente in relazione ad altri riferimenti temporali del discorso e per questo compare spesso nelle proposizioni secondarie:
*Non sono potuta andare dal medico perché **avevo** già **preso** un altro appuntamento.* *made*

Il trapassato prossimo indica fatti successi anteriormente rispetto a un'azione nel passato espressa dal passato prossimo, dal passato remoto o dall'imperfetto:
*Ho ricevuto i risultati delle analisi che **avevo fatto** tre mesi fa.*
*Non mangiai nulla perché **avevo avuto** la nausea per tutta la notte.*
*Majida non viveva ancora in Italia quando **aveva ottenuto** il diploma.*

Frequentemente assieme al trapassato prossimo compaiono gli avverbi **ancora (non ancora)**, **già**, **prima** o le congiunzioni temporali **dopo che**, **appena**, **quando** o causali **perché**, **dato che**, **siccome**.
Quando sono arrivata al pronto soccorso la mia amica era già stata ricoverata.
Avevano appena finito di mangiare quando è arrivata la notizia.
Siccome aveva già studiato medicina nel suo paese si è potuta iscrivere subito a infermieristica in Italia.

■■■ LA PREPOSIZIONE *DA*

Il significato più frequente della preposizione *da* indica provenienza.
Vengo dall'Australia.

È usata per indicare moto a luogo quando la destinazione è espressa da una persona.
Vado dal dentista.
Sono stato dal medico.
Ricorda di passare dal macellaio.

Esprime anche i seguenti complementi.

- Complemento d'agente nella forma passiva.
  *L'ultimo libro scritto **da** Fatima Mernissi.*

- Complemento di fine, scopo.
  *Uniforme **da** infermiere.*
  *Occhiali **da** sole.*

- Complemento di causa.
  *Urlava **dal** dolore.*

- Complemento di modo.
  *Trattava tutte le sue amiche **da** sorella maggiore.*

- Complemento di qualità.
  *È un bellissimo uomo **dagli** occhi incredibilmente verdi.*

Quando è seguita da un infinito, la preposizione *da* introduce le frasi seguenti.

- Una proposizione finale.
  *Quando viaggio mi porto sempre un libro **da** leggere.*

- Una proposizione consecutiva.
  Un paese da visitare.

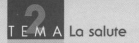

◼◼◼ESERCIZI

1. Riscrivete il brano seguente al passato.

Mi sveglio tardi perché mi sono dimenticato di puntare la sveglia; mi vesto di corsa perché sono in un ritardo mostruoso: ho detto ai miei colleghi di venirmi a prendere perché oggi c'è lo sciopero dei treni e la mia macchina è dal meccanico. L'appuntamento era dieci minuti fa.

Mi vesto alla velocità del fulmine e scendo le scale a salti. Arrivato di sotto mi ricordo che non ho preso la mia borsa di lavoro. Torno su di corsa e con orrore mi accorgo che ho dimenticato le chiavi in casa.

Ridiscendo le scale con il rischio di ammazzarmi e corro alla fermata dell'autobus dove ho dato appuntamento ai miei colleghi: nessuno. Forse non mi hanno aspettato e con sgomento mi rendo conto che non posso neanche mettermi in contatto con loro perché ho messo il cellulare nella borsa di lavoro che si trova a casa. Mi viene voglia di piangere, mi siedo sulla panchina della fermata dell'autobus e aspetto, non so bene che cosa, e mentre cerco di pensare a che cosa fare guardo distrattamente il mio orologio che per fortuna mi sono ricordato di indossare: sono le 7.30! L'appuntamento con i miei colleghi è alle otto! Ho guardato male l'ora della sveglia e adesso sono addirittura in anticipo! Inutile arrabbiarsi di nuovo, mi alzo, vado al bar di fronte e faccio una bella colazione.

Mi sono svegliato tardi perché mi ero dimenticato . . . .
. . . .
. . . .
. . . .
. . . .
. . . .
. . . .
. . . .
. . . .
. . . .
. . . .
. . . .
. . . .
. . . .
. . . .
. . . .
. . . .
. . . .
. . . .
. . . .
. . . .
. . . .

2. **Formate delle frasi utilizzando le parole suggerite come nell'esempio.**

Esempio: Voi non potere visitare la paziente / l'orario delle visite essere già finito.
*Voi non **avete potuto** visitare la paziente perché l'orario delle visite **era** già finito.*

1. Ieri sera noi vedere quel film molto volentieri / anche se lo vedere al cinema estivo l'anno scorso.

   . . . .
   . . . .

2. Quando io andare a Firenze / volere comprare una borsa di pelle / ma essere molta cara / spendere già molto per l'hotel / non avere abbastanza soldi.

   . . . .
   . . . .

3. In quella mostra io vedere delle opere / che non avere mai visto prima / e che essere molto particolari.

   . . . .
   . . . .

4. Majida essere molto felice / perché la settimana scorsa arrivare sua madre.

   . . . .
   . . . .

5. Loro venire a casa nostra / dopo che sapere / che io essere in ospedale.

   . . . .
   . . . .

6. Ieri Sergio non venire al lavoro / perché avere un forte mal di denti.

   . . . .
   . . . .

3. **Completate il brano seguente coniugando nel tempo appropriato i verbi indicati tra parentesi.**

«Dodici giorni di agosto passati sulla costa baltica. Stettino, poi Danzica e Elbàg. Nelle strade (1) . . . . (esserci) tranquillità ma tensione, quel clima di gravità e sicurezza che nasce quando si sente di aver ragione. Città dove (2) . . . . (regnare) una nuova morale. Nessuno (3) . . . . (bere) né (4) . . . . (provocare) risse. La criminalità (5) . . . . (scendere) a zero, (6) . . . . (spegnersi) l'aggressività reciproca, (7) . . . . (essere) tutti bendisposti, socievoli e aperti. Persone totalmente estranee tra loro (8) . . . . (sentire) improvvisamente di essere necessari gli uni agli altri. Questo modello di rapporti nuovi, fatto proprio da tutti, (9) . . . . (essere creato) dalle maestranze dei cantieri in sciopero.

In quei giorni i cancelli dei cantieri e gli ingressi delle altre fabbriche (10) .... (essere) sommersi di fiori. Perché gli scioperi dell'agosto furono lotta drammatica e festa allo steso tempo. Lotta per i propri diritti e festa delle "Schiene raddrizzate", le "Teste rialzate"».

Tratto da Ryszard Kapuściński, *Lapidarium*, in *Opere scelte*, Mondadori.

4. **Completate il brano seguente inserendo le preposizioni appropriate.**

Quando si abita in una grande città ci si ammala più facilmente (1) .... l'inquinamento causato (2) .... fabbriche, (3) .... macchine e (4) .... sistemi di riscaldamento.
La cosa migliore sarebbe quella (5) .... andare a vivere (6) .... una cittadina o (7) .... un paesino di campagna. Oppure (8) .... andare in vacanza (9) .... montagna o (10) .... mare in modo (11) .... respirare un po' (12) .... aria pura. Ma non tutti hanno la possibilità (13) .... prendersi ferie o (14) .... andare in vacanza. Così bisogna accontentarsi (15) .... una passeggiata o (16) .... una breve gita fuori città.
È così bello e salutare correre (17) .... prati e (18) .... strade di campagna, lontano (19) .... rumori (20) .... città, lontano (21) .... gas velenosi e (22) .... auto! E quando si torna a casa (23) .... grande città, per qualche minuto ci si sente soffocare (24) .... aria nauseante e decisamente malodorante (25) .... cui passiamo le nostre giornate.

5. **Trasformate al plurale le parole evidenziate nelle frasi seguenti concordando di conseguenza gli altri elementi.**

1. In Australia abbiamo visitato una **città** in cui ci si sente proprio in un altro mondo.
   ....

2. Negli Stati Uniti l'**attività** sportiva è considerata parte del piano di studio universitario.
   ....

3. Molti hanno scritto sulla **qualità** più divertente dell'italiano quando viaggia.
   ....

4. In Italia ormai molti comuni hanno una stazione **radio** locale.
   ....

5. I fondi per la ricerca all'**università** italiana sono sempre più scarsi.
   ....

RIEPILOGO GRAMMATICALE

CONTENUTI

- Esprimere opinioni sulla scelta di un'abitazione
- Parlare del problema alloggio
- Cercare una casa in affitto

GRAMMATICA

- Congiuntivo imperfetto
- Periodo ipotetico
- Particella pronominale *ci*
- Particella pronominale *ne*
- Nomi alterati

1. **Leggete l'articolo proposto, quindi indicate se le affermazioni seguenti sono vere o false; infine, discutete in classe sui temi suggeriti.**

LA CASA: SOGNO IMPOSSIBILE?

Affitti alle stelle, crescita dell'indebitamento delle famiglie nel mercato della compravendita: è la speculazione che avanza, trovando terreno fertile nel progressivo impegno pubblico in materia di politiche abitative.

Il quadro dal 1997 a oggi è quello di un dinamismo immobiliare che, in assenza di politiche di intervento, ha portato a livelli elevatissimi la dinamica dei prezzi. I fitti, che hanno seguito l'andamento dei prezzi delle abitazioni (raddoppiati negli ultimi dieci anni) sono alle stelle (100 metri quadrati nella periferia di Roma costano, se va bene, 1000 euro al mese). Eppure di abitazioni sfitte in circolazione ce ne sono moltissime, ma i proprietari chiedono prezzi altissimi per affittarle con il risultato che le case rimangono vuote, anche per anni in attesa che un inquilino paghi l'affitto richiesto. Nello stesso tempo, le abitazioni costruite con sovvenzioni pubbliche sono drasticamente diminuite negli ultimi 20 anni, passando da 34.000 alloggi nel 1984 a 1900 del 2004. Il fondo nazionale del sostegno alla locazione è passato dai 440 milioni di euro nel 2000 ai 236 di oggi.

Ancora, se nel 1984 il pubblico era promotore dell'8% di nuove iniziative immobiliari (le imprese del 32%, le cooperative del 15% e il privato del 45%), nel 2004 la presenza del pubblico nel settore immobiliare si è ridotta all'1%, mentre quella delle imprese è salita al 45% e quella del privato al 42%.

Sebbene in Italia quasi l'80% della popolazione viva in abitazione propria, il restante 20% fatica a trovare una sistemazione dignitosa in cui vivere e sono le famiglie e le fasce più deboli (immigrati, giovani, anziani) a pagarne il prezzo. In Italia ci sono 600.000 famiglie in attesa di sfratto, senza contare le decine di migliaia di famiglie che vivono in una condizione d'alloggio pessima, in coabitazione, in locali malsani, costrette a pagare affitti che rappresentano a volte oltre il 50% del loro reddito.

Per affrontare questa situazione c'è bisogno di una politica per la casa che riconosca il diritto sociale all'abitare, un diritto che l'ONU ha dichiarato universale, ma che anche se "universale" ha ben poco a che vedere con la realtà di molte persone.

Adattamento da "Il Manifesto",
17 giugno 2005.

	V	F
1. Negli ultimi dieci anni i prezzi degli immobili sono raddoppiati.	■	■
2. In Italia ci sono poche abitazioni sfitte.	■	■
3. Le abitazioni costruite con sovvenzioni pubbliche sono diminuite.	■	■
4. In Italia c'è molta speculazione sugli immobili.	■	■
5. Il 20% degli italiani è sotto sfratto.	■	■
6. Gli affitti in molti casi equivalgono al 30% del reddito.	■	■
7. L'ONU dichiara che l'abitazione è un diritto di tutti.	■	■

– *In quale tipo di abitazione vivete (casa, appartamento, stanza in affitto ecc.)?*
– *È stato difficile trovare casa?*
– *Come sono gli affitti nella città in cui vivete?*

2. Collegate le parole elencate nella colonna A con il relativo sinonimo o significato nella colonna B.

A		B	
1.	Dinamismo	a.	Vitalità
2.	Immobile	b.	Alloggio
3.	Inquilino	c.	Ricerca di guadagni
4.	Sovvenzione	d.	Affittuario
5.	Sfratto	e.	Proprietà con sede fissa
6.	Speculazione	f.	Assistenza economica
7.	Locazione	g.	Richiesta di sgombero

3. Leggete che cosa dicono le persone intervistate, quindi abbinate a ciascuna affermazione la soluzione abitativa prescelta.

1. Abitazione di proprietà ......
2. Camera in affitto ......
3. Casa in affitto ......
4. Casa in affitto sovvenzionato ......

a. Sono di Bari e vivo a Bologna. Ci sono venuto per studiare all'Università. Vivo in un appartamento di 60 metri quadrati con altri 4 studenti e pago 300 euro al mese di affitto. Diciamo che pago per un posto letto, visto che divido la camera con un altro studente. Non mi piace molto perché non ho il mio spazio per studiare o per avere con me la mia ragazza. Se avessi la possibilità vivrei da solo, ma Bologna è troppo cara!

b. Io e mio marito adesso affittiamo un appartamento a Milano e siamo molto contenti anche se l'affitto è caro. Prima vivevamo in un appartamento con un'altra famiglia ghanese come noi. È stato molto difficile trovare casa a Milano, molti proprietari non volevano affittare a stranieri, però con pazienza ci siamo riusciti.

c. Sono una pensionata e questa casa è mia. Ci sono venuta a vivere con mio marito quando ci siamo sposati. Era un appartamento popolare e poi il Comune l'ha venduto e noi siamo riusciti a comprarlo. Adesso non devo più pagare il mutuo e ne sono molto felice, perché con la pensione non potrei permettermi un affitto.

d. Abitiamo in un appartamento comunale. L'affitto dipende dal reddito e quindi riusciamo a vivere decorosamente. Sono sola con mia figlia e lavoro come mediatrice culturale per il Comune; prima era molto più difficile, perché non potevo pagare l'affitto per un appartamento nel mercato privato e dovevo vivere con mia sorella e la sua famiglia. Non ci stavo bene, perché non mi sentivo a casa mia.

4. Completate le frasi seguenti utilizzando le informazioni fornite dalle dichiarazioni delle persone intervistate proposte nell'esercizio 3.

1. Sono uno studente e vivo in una .... a Bologna. Pago 300 euro d'affitto e .... la camera con un altro studente. Non mi piace perché non ho il .... per studiare e non posso portarci ....
2. Affittiamo un appartamento tutto per noi, siamo felici anche se l'affitto ...., ma è meglio che vivere in un .... con altri.
3. Vivo qui da molti anni, da quando mi sono sposata. Questo era .... Adesso la casa è mia e non devo più pagare ....; meno male, perché con la mia pensione non .... un affitto.
4. Il mio affitto dipende .... perché è comunale. Prima vivevo con la mia famiglia, perché non potevo .... un appartamento nel mercato privato. Non ci stavo bene, perché non ero ....

5. TRACCIA 10 **Ascoltate che cosa dice Amel della sua casa ideale, quindi indicate quale tra le abitazioni illustrate corrisponde a quella sognata da Amel.**

a.

b.

c.

d.

6. TRACCIA 10 **Ascoltate di nuovo il brano proposto nell'esercizio 5 e completate il testo seguente inserendo i verbi nel modo e nel tempo appropriati; infine, discutete in classe sul tema suggerito.**

Io vivo in una piccola città di provincia, vivo in un condominio. Se (1) .... avere la mia casa ideale, essa (2) .... in periferia, in campagna, però non troppo lontana da un centro abitato. (3) .... come la mia casa in Marocco, un edificio su un piano con un giardino davanti e uno dietro. Quindi un po' come i chiostri italiani. Se (4) .... un giardino interno ci sarebbero anche

una fontana, alberi da frutto e delle panchine per (5) .... il tempo e chiacchierare o riposarsi.
Davanti alla casa ci (6) .... un cespuglio di gelsomino che si (7) .... sulla parete e arriverebbe fino al tetto. Se (8) ....
possibile, preferirei il tetto piatto a terrazza, dove si (9) .... stendere il bucato e prendere il sole in inverno.
Tutte le porte si (10) .... sul giardino interno, così tutti (11) ....
uscire e sentire il profumo dei fiori.
Nella parte anteriore ci (12) .... la cucina, grande, e il soggiorno; le camere da letto (13) .... disposte sugli altri tre lati dell'edificio.
Anche se (14) .... molti soldi non vorrei che la casa (15) ....
molto grande: tre camere da letto per me (16) .... sufficienti ma vorrei avere due bagni.
La cosa per me più importante è vivere nel verde e tra i profumi della natura.

– *Che cosa vi manca di più della vostra casa/abitazione d'origine vivendo in un altro paese?*

7. TRACCIA 11 **Ascoltate la registrazione proposta e completate la tabella seguente.**

Nome	Di che cosa sente la mancanza	Altre informazioni
Irene		
Jane		
Sabrina		
Anna		
Fariba		
Kadhija		

8. Leggete gli annunci immobiliari riprodotti e dite che cosa significano le abbreviazioni elencate di seguito.

Esempio: App.to = *appartamento*

Rif. AA33 Zona musicisti – App.to completamente ristrutturato, p.t., composto da: sogg., cucina, 2 camere, cantina e garage. Risc. centralizzato (euro 700).

Rif. AA45 Ad.ze stazione – In piccola palazzina di sole 2 unità abitative, delizioso biloc. non arredato con giardino cond. Risc. aut. (euro 550).

Rif. AA124 Zona Sacca – App.to di nuova costruzione in palazzina piccola e contesto tranquillo, ad.ze parco, composto da: sogg. con ang. cottura, 1 matr., 1 studiolo, bagno, garage. Risc. aut. (euro 550).

Rif. AA334 Zona viali – In piccola palazzina con giardino cond. disponiamo di app.to mansardato al 2° piano composto da: ingr., ampio sogg., cucina abit., studio con veranda, 2 camere matr., bagno, garage. Risc.aut. (euro 750).

Rif. AA347 Zona Università – App.to arredato al 4° p. s/a composto da: ingr., sogg. con angolo cott., 1 matr., 1 sing., bagno. Risc. aut. (euro 650).

Rif. AA352 Zona centro – App.to non arredato, 3° p. s/a, comp. da ingr. in sala con ang. cottura, 1 matr., 1 sing., bagno e garage. Risc.to centr. (euro 600).

Rif. AA458 Zona est – App.to arredato composto da: sogg. con angolo cott., camera matr., camera sing., bagno, disimpegno e piccola cantina. Risc. aut. (euro 650).

Rif. AA541 Zona vignolese – App.to semiarredato in palazzina di 4 piani c/a, composto da: ingr., sogg., cucina ab., 1 matr., 1 sing., bagno e cantina (euro 620).

1. *p.t.*   ....
2. *1° p.*   ....
3. *sogg.*   ....
4. *camera matr.* ....
5. *camera sing.* ....
6. *angolo cott.* ....
7. *ingr.*   ....

8. *c/a*   ....
9. *s/a*   ....
10. *biloc.*   ....
11. *ad.ze*   ....
12. *risc. aut.* ....
13. *risc. centr.* ....
14. *giardino cond.* ....

9. **Leggete di nuovo gli annunci proposti nell'esercizio 8 e stabilite la sistemazione migliore per due studentesse, Amel e Maria: cercano casa insieme per sostenere la spesa
dell'affitto, che non può superare i 650 euro mensili, e non possiedono mobili.**

Rif. ...., *perché* ....
....

10. Leggete l'articolo seguente, quindi rispondete alle domande.

Vivere in città o in campagna?

L'Italia negli anni Sessanta ha vissuto l'era dell'urbanizzazione: le campagne si sono spopolate e le città hanno incominciato a espandersi sempre più. Da questo processo sono usciti periferie degradate e invivibili, traffico intollerabile, aria irrespirabile.

Sono serviti un po' più di trent'anni agli italiani per fare marcia indietro e optare per la fuga dalle città: ormai Roma, Torino, Milano stanno perdendo abitanti di anno in anno.

Secondo Datamedia, fra 100 che scapperebbero volentieri dalla città, 32 lo farebbero per l'inquinamento, 26 perché non sopportano lo stress, 24 perché **ne** hanno abbastanza del rumore, 18 perché vorrebbero vedere del verde intorno a loro. Quelli che **ci** stanno pensando seriamente sarebbero il 17 per cento.

Un motivo in più per lasciare le città è rappresentato certamente dal costo delle abitazioni: oggi un appartamento nella zona centrale di Milano costa oltre 5 mila euro al metro quadrato, per non parlare dei costi degli affitti, mentre a pochi chilometri, nell'hinterland, i prezzi sono più bassi del 20-30%.

Anche i piccoli paesi vicini ai grandi centri urbani sono molto ricercati da chi non **ne** può più della città. I 42 mila che negli ultimi mesi hanno lasciato Roma sono finiti a Pomezia (dove in un anno gli abitanti sono cresciuti di ben 9 volte), a Ladispoli, a Guidonia (dove la popolazione è cresciuta di sette volte) e a Cerveteri (la cui popolazione è raddoppiata).

Questo fenomeno, però, alimenta il pendolarismo e così l'inquinamento cresce. Ma intanto il *business* non è sfuggito alle grandi immobiliari e, dalla Lombardia alla Toscana, meglio se intorno a una grande città, è tutto un pullulare di ristrutturazioni di vecchi centri rurali e di interi borghi abbandonati: **ci** arrivano a vivere i nuovi abitanti in fuga dallo smog che, ogni mattina, paradossalmente, contribuiscono a provocare sulla strada per il lavoro.

Molti, però, più che per la paura dei veleni respirati, vogliono lasciare le grandi città per paura della criminalità. In testa alle classifiche per il numero di denuncie in rapporto al numero di abitanti **ci** sono, ovviamente, i grandi centri urbani, mentre **ne** escono vincitori i piccoli centri.

Quello che invece spinge o costringe 30 italiani su cento a restare nei grandi centri urbani è, ovviamente, il lavoro, mentre alcuni dichiarano di voler**ci** vivere perché preferiscono comunque l'abbondanza dei servizi e degli svaghi che offrono le città.

Ma è il lavoro, soprattutto, a determinar**ne** la scelta. La possibilità di un'occupazione più facile **ci** porta verso le grandi città.

Adattamento da "Panorama",
31 gennaio 2002.

1. Nell'articolo sono elencati una serie di motivi che spingono gli italiani a lasciare le grandi città. Quali sono i principali di questi?

   . . . .
   . . . .
   . . . .

2. La fuga dalle città aumenta un altro fenomeno. Quale?

   . . . .
   . . . .
   . . . .

11. Analizzate i seguenti enunciati tratti dall'articolo *Vivere in città o campagna?* (vedi esercizio 10) e, con l'aiuto dell'insegnante, stabilite il valore della particella pronominale *ci* ogni volta che ricorre.

Ricordate che la particella pronominale *ci* può essere usata nei casi seguenti:
- con valore locativo (*sono nata a Torino ma non **ci** torno da anni*);
- unita al verbo *essere* nel significato di *esistere* (***ci sono** persone che non la pensano così*);
- nei complementi introdotti da *a* + gruppo nominale (*il consumismo fa crescere l'inquinamento, ma molti non **ci** credono*);
- nei verbi idiomatici (***ci vuole** pazienza per fare questo lavoro*).

1. Secondo Datamedia, fra 100 che scapperebbero volentieri dalla città, 32 lo farebbero per l'inquinamento, 26 perché non sopportano lo stress, 24 perché ne hanno abbastanza del rumore, 18 perché vorrebbero vedere del verde intorno a loro. Quelli che **ci** stanno pensando seriamente sarebbero il 17 per cento.

   . . . .

2. Ma intanto il *business* non è sfuggito alle grandi immobiliari e, dalla Lombardia alla Toscana, meglio se intorno a una grande città, è tutto un pullulare di ristrutturazioni di vecchi centri rurali e di interi borghi abbandonati: **ci** arrivano a vivere i nuovi abitanti in fuga dallo smog che, ogni mattina, paradossalmente, contribuiscono a provocare sulla strada per il lavoro.

   . . . .

3. In testa alle classifiche per il numero di denuncie in rapporto al numero di abitanti **ci** sono, ovviamente, i grandi centri urbani, mentre ne escono vincitori i piccoli centri.

   . . . .

4. Quello che invece spinge o costringe 30 italiani su cento a restare nei grandi centri urbani è, ovviamente, il lavoro, mentre alcuni dichiarano di voler**ci** vivere perché preferiscono comunque l'abbondanza dei servizi e degli svaghi che offrono le città.

   . . . .

12. Analizzate i seguenti enunciati tratti dall'articolo *Vivere in città o campagna?* (vedi esercizio 10) e indicate a che cosa si riferisce la particella *ne* in ognuno di essi.

1. **ne** hanno abbastanza . . . .
2. non **ne** può più . . . .
3. **ne** escono vincitori. . . . .
4. Ma è il lavoro a determinar**ne** la scelta . . . .

LAVORIAMO SULLA LINGUA

13. TRACCIA 11 **Ascoltate di nuovo la registrazione proposta nell'esercizio 7, elencate i nomi originari alterati attraverso i suffissi -one, -ino/a, -etto/a e spiegate quale sfumatura questi conferiscono al significato principale del sostantivo.**

Appartamentino = *Appartamento*   *Piccolo appartamento*
1. Palazz**one** = ...
2. Balconc**ino** = ...
3. Cas**etta** = ...
4. Cittad**ina** = ...
5. Giardin**etto** = ...

14. Riscrivete le frasi seguenti trasformando le espressioni evidenziate mediante l'aggiunta dei suffissi -ino, -etto, -one al sostantivo o all'aggettivo (ricordate che, a volte, l'alterazione del nome può comportare il cambiamento del suo genere).

1. Roberto vive in periferia in un **palazzo enorme** e non conosce nessuno.
   ....

2. Ho regalato alla mia amica un **piccolo letto**.
   ....

3. La mia casa ha un solo **piccolo balcone**.
   ....

4. Nel mio quartiere ci sono tante **strade strette e corte**, perché si trova nel centro storico.
   ....

5. Il mio quartiere è collegato al centro da una **strada lunga e larga**.
   ....

6. La **vecchia signora** viveva in una **casa piccola e graziosa** nel bosco.
   ....

7. Mia madre va pazza per il nostro ultimo **piccolo figlio**.
   ....

8. Si sono comprati un **appartamento piccolo e bello**.
   ....

9. È un **uomo grande e grosso**.
   ....

15. Completate le frasi seguenti inserendo opportunamente ci/ce o ne.

1. Aiutate quel signore a salire sull'autobus, non .... la fa da solo.
2. Smetto di lavorare al computer, non .... la faccio più.
3. Per arrivare a piedi al paese .... vorranno 10 minuti.
4. Non voglio discutere adesso di questo, ... parleremo quando torno a casa.
5. Mi piace la famiglia di Laura, ... sto proprio bene!
6. Che cosa pensi di questo articolo? – Che cosa .... penso? È terribile!

7. Tu non credi a quello che scrive? – No, non .... credo!
8. Parlerai della mia proposta? – Certo, ... parlerò durante l'assemblea.
9. Posso parlarti di Maria? – Sì, parlame- .... adesso.
10. Penserai a quello che ti ho detto? – Certo, ... penserò seriamente.

16. **Leggete le frasi seguenti, quindi, con l'aiuto dell'insegnante, rispondete alla domanda.**

1. *Benché/Sebbene/Nonostante/Malgrado* **vivesse** in città, non sopportava il rumore.
2. *Purché/A patto che/A condizione che* **pagassero** l'affitto regolarmente, non interessava a nessuno da dove venissero.
3. *Senza che* **sapesse** il perché, gli hanno dato lo sfratto.
4. *Nel caso che* **facesse** brutto tempo, sarebbe meglio finire il tetto.
5. *Prima che* **arrivasse** il boom delle macchine, le città erano più vivibili.
6. Ha guardato la sua vecchia casa *come se* non la **riconoscesse**!

– *Come sono usati i verbi che seguono le espressioni evidenziate in corsivo?*

17. **Completate il testo seguente inserendo i verbi indicati tra parentesi.**

Prima che Amel (1) .... (venire) in Italia abitava in una casetta con un piccolo giardino a Rabat. In Italia ha abitato in diverse cittadine nella provincia di Milano benché (2) .... (preferire) vivere in un grande centro perché era abituata alle grandi città; purtroppo gli affitti erano troppo alti e non poteva permetterseli. Finalmente ha trovato un buon posto di lavoro a Milano e così ha potuto trasferirsi. Sebbene non (3) .... (conoscere) nessuno in quella città, era felicissima del cambiamento anche perché aveva trovato una sistemazione ideale: un appartamentino in una palazzina in periferia con un giardino condominiale; era quasi come se (4) .... (abitare) ancora a Rabat! Con un affitto accessibile per giunta! Purtroppo prima che (5) .... (fare) il trasloco le ha telefonato l'agenzia immobiliare dicendole che l'appartamento non era più disponibile perché il padrone di casa voleva darlo a uno dei suoi figli e che le avrebbero quindi restituito i soldi della cauzione.
Potete immaginare la tristezza di Amel, che ha visto svanire il suo sogno. Ma la storia non è finita qui. Poche settimane dopo è riapparso sul giornale locale lo stesso annuncio relativo all'appartamento che aveva sognato Amel. Era inspiegabile... a meno che dietro la motivazione del padrone di casa non si (6) .... (nascondere) un caso di discriminazione.

RIEPILOGO GRAMMATICALE

■■ CONGIUNTIVO PASSATO

Il congiuntivo presenta tre tempi nel passato: l'**imperfetto**, il **passato** e il **trapassato**.

Il **congiuntivo passato** si forma unendo il congiuntivo presente del verbo *essere* o *avere* al participio passato del verbo da coniugare.

Il **congiuntivo trapassato** si forma unendo il congiuntivo imperfetto del verbo *essere* o *avere* al participio passato del verbo da coniugare.

Imperfetto		
Io	mang**iassi**	ved**essi**	part**issi**
Tu	mang**iassi**	ved**essi**	part**issi**
Lui/Lei	mang**iasse**	ved**esse**	part**isse**
Noi	mang**iassimo**	ved**essimo**	part**issimo**
Voi	mang**iaste**	ved**este**	part**iste**
Loro	mang**iassero**	ved**essero**	part**issero**

Passato		
Io	**abbia** mangiato	**abbia** veduto	**sia** partito/a
Tu	**abbia** mangiato	**abbia** veduto	**sia** partito/a
Lui/Lei	**abbia** mangiato	**abbia** veduto	**sia** partito/a
Noi	**abbiamo** mangiato	**abbiamo** veduto	**siamo** partiti/e
Voi	**abbiate** mangiato	**abbiate** veduto	**siate** partiti/e
Loro	**abbiano** mangiato	**abbiano** veduto	**siano** partiti/e

Trapassato		
Io	**avessi** mangiato	**avessi** veduto	**fossi** partito/a
Tu	**avessi** mangiato	**avessi** veduto	**fossi** partito/a
Lui/Lei	**avesse** mangiato	**avesse** veduto	**fosse** partito/a
Noi	**avessimo** mangiato	**avessimo** veduto	**fossimo** partiti/e
Voi	**aveste** mangiato	**aveste** veduto	**foste** partiti/e
Loro	**avessero** mangiato	**avessero** veduto	**fossero** partiti/e

Verbi irregolari:

essere	**fossi, fossi, fosse, fossimo, foste, fossero**
avere	**avessi, avessi, avesse, avessimo, aveste, avessero**
dare	**dessi, dessi, desse, dessimo, deste, dessero**
stare	**stessi, stessi, stesse, stessimo, steste, stessero**

Il congiuntivo si forma dalla radice della prima persona del presente indicativo.

Indicativo presente	Congiuntivo presente/imperfetto
faccio	**faccia/facessi**
bevo	**beva/bevessi**
dico	**dica/dicessi**
traduco	**traduca/traducessi**

Uso del congiuntivo

Come abbiamo già detto (vedi Unità 2), il congiuntivo è un modo usato spesso per esprimere la soggettività, lo stato d'animo, l'incertezza, la volontà; per questo motivo è il modo caratteristico delle frasi secondarie largamente vincolato dal tempo della frase principale.

Quando il verbo della frase principale è espresso dal presente dell'indicativo, la frase secondaria può esprimere posteriorità, contemporaneità o anteriorità rispetto alla principale a seconda del modo e del tempo del verbo.

Spero che Maria	[posteriorità]	*passerà*	**indicativo futuro**	*l'esame*
Spero che Maria	[contemporaneità]	*passi*	**congiuntivo presente**	*l'esame*
Spero che Maria	[anteriorità]	*abbia passato*	**congiuntivo passato**	*l'esame*

Quando il verbo della frase principale è espresso dall'imperfetto, dal passato prossimo o dal passato remoto, la frase secondaria può esprimere posteriorità, contemporaneità e anteriorità nei seguenti modi e tempi verbali.

Speravo/ Ho sperato/ Sperai che Maria	[posteriorità]	*avrebbe passato*	**condizionale passato**	*l'esame*
Speravo/ Ho sperato/ Sperai che Maria	[posteriorità]	*passasse*	**congiuntivo imperfetto**	*l'esame*
Speravo/ Ho sperato/ Sperai che Maria	[contemporaneità]	*passasse*	**congiuntivo imperfetto**	*l'esame*
Speravo/ Ho sperato/ Sperai che Maria	[anteriorità]	*avesse passato*	**congiuntivo trapassato**	*l'esame*

■■■ IL PERIODO IPOTETICO

Il periodo ipotetico è formato da due frasi unite tra loro: una principale e una secondaria che esprime la condizione necessaria affinché si realizzi quanto espresso nella principale.

Se la secondaria esprime una condizione reale, si ha il **periodo ipotetico della realtà** e le due frasi sono espresse con il modo indicativo.
Se non piove, esco.
Se dici così, mi fai soffrire.
Se verrai, sarò molto felice.
Se ha scritto una lettera così, aveva le sue ragioni.

Se la secondaria esprime una condizione possibile, si ha il **periodo ipotetico della possibilità** caratterizzato dal congiuntivo imperfetto nella secondaria e dal condizionale presente nella principale.
Se avessi soldi, viaggerei sempre.
Se avesse tempo, ti vedrebbe più spesso.

RIEPILOGO GRAMMATICALE

La principale può anche essere espressa dall'imperativo o dal futuro.
Se il treno fosse in ritardo, per favore avvisami!
Se decidessi di andare a teatro, te lo farò sapere.

Se la secondaria esprime una condizione impossibile da realizzare, si ha il **periodo ipotetico dell'irrealtà**, espresso dal congiuntivo imperfetto nella frase secondaria e dal condizionale presente nella frase principale quando si riferisce a una situazione nel presente.
Se fossi in te, andrei dal medico.
Se lo sapesse mio padre, mi verrebbe subito ad aiutare.

Se il periodo ipotetico dell'irrealtà si riferisce a un evento nel passato, è espresso dal congiuntivo trapassato nella frase secondaria e dal condizionale passato nella frase principale.
Se avesse saputo che persone eravate, vi avrebbe mandati tutti al diavolo!
Se avessi fatto quel viaggio di lavoro, avrei sicuramente imparato qualcosa.

■■■ NOMI ALTERATI

Utilizzando alcuni suffissi, è possibile conferire una sfumatura del significato ai nomi o agli aggettivi relativamente alla dimensione (diminutivo/accrescitivo) e alla qualità (vezzeggiativo/peggiorativo). Il significato di base del termine, tuttavia, non cambia.
I suffissi diminutivi e vezzeggiativi più comuni sono **-ino/a**, **-cino/a**, **-olino/a**, **-etto/a**, **-ello/a**:
bello ‹ *bellino;*
sasso ‹ *sassolino;*
mamma ‹ *mammina;*
lupo ‹ *lupetto;*
bastone ‹ *bastoncino;*
cattivo ‹ *cattivello.*

I suffissi accrescitivi e peggiorativi più comuni sono **-one/a**, **-accio/a**, **-astro/a**:
febbre ‹ *febbrone;*
coltello ‹ *coltellaccio;*
pigro ‹ *pigrone;*
bianco ‹ *biancastro;*
avaro ‹ *avaraccio;*
dolce ‹ *dolciastro.*

■■■ PARTICELLA PRONOMINALE *CI*

La particella pronominale *ci* può essere usata nei casi seguenti.
* Per sostituire un complemento di luogo.
  - *Sei già stata a Venezia?*
  - *No, ci andrò il prossimo fine settimana.*
  Vivo a Modena, ci vivo da molti anni.
  Nadia andrà presto in Marocco, ci andrà per rifarsi una vita.

- Per sostituire un complemento composto da *a* + gruppo nominale (in questo caso si usa con espressioni quali "pensare a", "rinunciare a", "tenere a", "giocare a", "credere a" ecc.).
  - *Credi a quello che ha detto Luigi?*
  - *No, non ci credo.*

  - *Pensi molto alla tua ex?*
  - *Ci penso sempre.*

  Io tengo molto alla mia privacy, anzi, ci tengo moltissimo!

- Per conferire al verbo *essere* un valore esistenziale ("esserci", "trovarsi", "esistere").
  Sei stato alla festa di Lucia? Chi c'era?
  Al matrimonio di Maja c'erano 200 invitati!
  Alla riunione non c'era molta gente.

- Come particella fissa nei verbi idiomatici:
  - **metterci**
    Ci ho messo un mese per fare questo lavoro.

  - **vederci, sentirci**
    Non ci sente bene da un orecchio.
    In questa faccenda non ci vedo chiaro.

  - **cascarci**
    Gli hanno fatto uno scherzo e lui c'è proprio cascato!

  - **contarci**
    Ti telefono presto! – Ci conto!

  - **farcela**
    Non riesco più a lavorare in quel posto: non ce la faccio proprio più!

  - **avercelo** ("possedere")
    Ce l'hai la bicicletta?

N.B.
Quando è abbinata a un altro pronome, la particella pronominale *ci* si trasforma in **ce**:
- *Sei riuscita a finire quel lavoro?*
- *Sì, **ce** l'ho fatta!*

■■ PARTICELLA PRONOMINALE *NE*

Ne è un pronome invariabile che può essere usato nei casi seguenti.

- Per indicare una quantità precisata (con i numeri) o imprecisata (con gli indefiniti).
  - *Quanti anni ha Luisa?*
  - *Ne avrà cinquanta.*

  - *Quante fragole hai mangiato?*
  - *Ne ho mangiate troppe!*

- Obbligatoriamente in presenza di un indefinito o di un numerale privi dell'oggetto diretto.
  - *Ne prendo cinque* (non si può dire *prendo cinque*).

- In sostituzione dei complementi costruiti con **di + gruppo nominale** o **da + gruppo nominale**.

  Non vedo Maria da un mese e ne (di lei, di Maria) *sento molto la mancanza.*

  – *Roberto ti ha parlato di suo fratello?*
  – *Sì, me ne* (di lui) *ha parlato ieri.*

  – *Hai comprato il latte?*
  – *Sì, ne* (di latte) *ho comprato un litro.*

  Sono andato al cinema ma ne (dal cinema) *sono uscito subito perché faceva troppo caldo.*

- Come particella fissa nei verbi idiomatici:

  – **combinarne di cotte e di crude** (agire sventatamente, fare guai);

  – **farne a meno** (rinunciare a qualcosa o a qualcuno);

  – **valerne la pena** (meritare);

  – **non poterne più** (non riuscire più a sopportare qualcosa o qualcuno).

Se la particella *ne* sostituisce una quantità indicata da un numerale o da un indefinito uniti a un nome, nelle espressioni al passato il participio passato concorda con il nome sostituito.

– *Hai raccolto **molte ciliegie** da tuo nonno?*
– *Ne ho **raccolte** tantissime!*

*Mi sembra che tuo figlio mangi **troppi gelati**, solo stamattina ne ha **mangiati** già tre!*

– *Luisa ha fatto **molto sport** da piccola.*
– *Sì, a me sembra che ne abbia **fatto** fin troppo!*

*Ieri ho mangiato **molta verdura**! Ne ho **mangiata** persino troppa!*

Se la particella *ne* sostituisce una quantità indicata da un nome come *chilo/i, litro/i, pacchetto/i, tazza/e* ecc., il participio concorda con questo.

– *Quanto pane hai comprato?*
– *Ne ho **comprati due chili**.*

– *Quanto caffè ha bevuto ieri?*
– *Ne ho **bevute tre tazze**.*

– *Quante ciliegie sono rimaste?*
– *Forse ne è **rimasto mezzo chilo**.*

■■ ESERCIZI

1. Completate le frasi seguenti coniugando al tempo e al modo opportuni i verbi indicati tra parentesi.

1. A tutti noi conveniva che tu .... (dire) il vero.
2. Mi potete credere, ero contenta che il mio ex marito ....
   (sposarsi) di nuovo.
3. Era impossibile che io .... (potere) passare tutta la mattinata a letto; infatti verso le 10 è arrivata Amel che voleva fare colazione con me e poi è arrivato Franco che voleva andare al mercato.

4. Luisa sperava che tu .... (arrivare) in tempo per il suo compleanno e che insieme lo .... (festeggiare) come tutti gli anni.

5. Era normale che tutti .... (sospettare) il giovane marito dell'omicidio: aveva sposato la ricca moglie che aveva trent'anni più di lui.

6. Non ho telefonato perché pensavo che voi .... (essere) arrabbiati con me.

7. Secondo me avete fatto un errore a non parlare arabo ai vostri figli: era meglio che loro .... (imparare) la vostra lingua da piccoli.

8. Quando io ero piccola le insegnanti si aspettavano che gli alunni .... (stare) sempre attenti e che non .... (fiatare) durante le lezioni.

9. Avevo paura che Majida .... (dire) a Fatima che aveva visto il suo ragazzo con un'altra.

10. Era naturale che a luglio voi non .... (trovare) una pensione a Rapallo senza una prenotazione.

2. **Riscrivete le frasi seguenti secondo l'esempio.**

Esempio: È partito ieri – sebbene – non avere ricevuto lettera di conferma.
È partito ieri sebbene non avesse ricevuto lettera di conferma.

1. Non ha toccato cibo – malgrado – non mangiare da tre giorni.
....

2. Vi possiamo accompagnare noi – tranne che – voi chiamare già un taxi.
....

3. Se Luca voleva parlarmi – bastava che – telefonarmi a casa di mia sorella.
....

4. Mi ha fatto un bellissimo regalo di compleanno – nonostante – avere litigato.
....

5. Vai a cambiare le scarpe che hai comprato – prima che – il negozio chiudere.
....

6. Accetto la cena – a patto che – pagare io stavolta.
....

7. Avevo deciso di non tornare a casa per le vacanze – a meno che – non arrivare mia sorella dalla Germania per fare insieme il viaggio.
....

8. Ti lascio la mia bicicletta – nel caso che – finire tardi la riunione.
....

9. La invitai a passare le ferie a casa mia – nonostante – sapere che era una persona difficile.
....

10. Mi telefonò la settimana scorsa – come se – non succedere niente tra noi.
....

3. Completate le frasi seguenti a piacere.

1. Ho deciso di partire lo stesso sebbene ....
2. Va bene, puoi venire anche tu a patto che ....
3. Sì, forse avevi ragione, può darsi che ....
4. Secondo me, era giusto che ....
5. Ho avuto l'impressione che Maria ....

4. Completate i dialoghi seguenti coniugando al tempo e al modo opportuni i verbi indicati tra parentesi.

1. – Sai che Anna ha cambiato lavoro?
   – Sono contenta che .... (prendere) questa decisione.
2. – Sai che John è partito per la Scozia in macchina?
   – Mi auguro che .... (arrivare) sano e salvo.
3. – Stasera Gianni è invitato a cena a casa di un collega di lavoro.
   – Speriamo che non .... (bere) com'è sua abitudine.
4. – Se vuole le posso parlare nella sua lingua.
   – No, preferisco che lei mi .... (parlare) sempre in italiano, così faccio pratica.
5. – Il mio bambino mangia e dorme poco.
   – L'importante è che .... (stare) bene.

5. Abbinate a ciascuna frase elencata nella colonna sinistra una delle frasi elencate nella colonna destra formando proposizioni di senso compiuto.

1. Se avessi studiato di più,
2. Se non fossi tornata a casa così tardi,
3. Se non avessi perso la borsa,
4. Se mi telefonerai,
5. Se trovassi un'altra casa,
6. Se mi avessi telefonato,
7. Se non avessi lo scooter,
8. Se tu non ci fossi,

a. ora non dovresti cambiare la serratura!
b. sapresti perché mi sono licenziata.
c. dovrei prendere sempre i mezzi pubblici.
d. non vivrei più con mio marito.
e. la mia vita sarebbe più triste.
f. i miei genitori non si sarebbero preoccupati.
g. non avresti avuto problemi all'esame.
h. ti darò tutte le informazioni.

6. Completate le frasi seguenti scegliendo la forma verbale opportuna fra quelle indicate tra parentesi.

1. Credo che .... (avete / avevate / abbiate) torto.
2. Vorremmo che .... (state / steste / stiate) più attenti.

3. Il padre gli disse che se avesse deciso di tornare lo ....
   (*accoglievano / avrebbero accolto / accoglierebbero*) a braccia aperte.
4. Se .... (*potrò / potrei / potessi*) ti aiuterò.
5. Se potessi ti .... (*aiuterò / aiuto / aiuterei*).
6. Comportati come se non .... (*fosse successo / succedeva / era successo*) nulla.
7. Anche se .... (*comprenderei / comprenda / comprendo*) il vostro punto di vista, penso che abbiate torto.
8. La nuova assunta sperava di incontrare qualcuno che le (*desse / dava / dia*) una mano.
9. .... (*avresti potuto / potevi / potresti*) pensarci prima, è troppo tardi ora.
10. Se tu mi .... (*dicessi / dicevi / diresti*) quello che pensi, potrei darti un consiglio.

7. **Riscrivete le frasi seguenti usando la particella *ne* come nell'esempio.**

Esempio: Ho molti amici. Ma ho due amici che mi sono più cari.
Ho molti amici ma ne ho due che mi sono più cari.

1. Ho comprato una borsa estiva anche se avevo altre tre borse estive.
   ....
2. Siamo andati al cinema e abbiamo visto un film. Non valeva la pena vedere questo film.
   ....
3. Maria ha lasciato Michele. Da allora non vuole sentire parlare di Michele.
   ....
4. Per il mio compleanno avevo invitato molte persone a casa; non immaginavo che sarebbero venute tante persone.
   ....
   ....
5. Ho finito un libro molto interessante. La settimana scorsa avevo finito un libro molto noioso.
   ....
   ....

8. **Completa le risposte alle domande seguenti usando la particella *ci*.**

1. – Sei andato all'ospedale a trovare Maria?
   – Sì, ... ieri.
2. – Hai pensato a quello che ti ho detto l'altro giorno?
   – Certo, ...
3. – Quando andrete a visitare Venezia? .... la settimana prossima.
4. – Da quanto tempo vivete in Italia? .... da tre anni.
5. – Fariba, credi ancora alle promesse del tuo amico?
   – No, ... più.

9. **Completate le frasi seguenti coniugando opportunamente i verbi indicati tra parentesi.**

1. Aiutate quel signore a salire sull'autobus, non .... (farcela) da solo.
2. Ho smesso di lavorare al computer, perché non .... (farcela) più.
3. Per arrivare a piedi al paese .... (volercene) 10 minuti.
4. Mi piace la famiglia di Laura, ... (starci) proprio bene.
5. – Credete alla storia di Enrico?
   – Certo che .... (crederci).
6. – Tu non credi a quello che scrive?
   – No, non .... (crederci)!
7. – Penserai a quello che ti ho detto?
   – Certo, ... (pensarci) seriamente.
8. .... (esserci) molta gente al compleanno di Laura?
9. Mi fa male un occhio e non .... (vederci) bene.
10. – Quanto .... (volerci) per arrivare a casa tua a piedi?
    – .... (volerci) venti minuti.
11. Hanno speso tanti soldi per poi capire che non .... (valerne la pena).
12. Luisa è veramente innamorata di Paolo; .... (innamorarsene) a prima vista.
13. Non .... (poterne) più dei suoi cambiamenti di umore.

10. **Indicate quali dei nomi elencati nella colonna B sono diminutivi o accrescitivi del nome corrispondente nella colonna A.**

	A	B
1.	Vino	■ *Vinello*
2.	Naso	■ *Nasello*
3.	Naso	■ *Nasino*
4.	Vigna	■ *Vignetta*
5.	Lingua	■ *Linguetta*
6.	Sala	■ *Salone*
7.	Sala	■ *Saletta*
8.	Gatto	■ *Gattino*
9.	Viso	■ *Visone*
10.	Viso	■ *Visino*
11.	Polso	■ *Polsino*
12.	Colla	■ *Collina*
13.	Matto	■ *Mattone*
14.	Matto	■ *Mattino*
15.	Vaso	■ *Vasino*
16.	Scarpa	■ *Scarpetta*
17.	Scarpa	■ *Scarpone*
18.	Porco	■ *Porcino*
19.	Casa	■ *Casina*
20.	Casa	■ *Casona*

TEMA **3**

La città
in cui vivo

UNITÀ **8**

Il tempo
libero

CONTENUTI

- Parlare del tempo libero
- Valutare dati statistici
- Commentare tabelle

GRAMMATICA

- Forme passive
- Comparativi e superlativi

1. Leggete il brano seguente che riporta dati Istat sul tempo libero degli italiani, quindi completate la griglia.

Gli italiani e il tempo libero

Per il 44% della popolazione il tempo libero è sia il tempo del riposo e del relax sia il tempo disponibile per sé, cioè quello a disposizione dopo aver svolto le attività legate al lavoro fuori e dentro casa. È elevata anche la percentuale di quanti considerano tempo libero quello che possono dedicare alla famiglia (29,3%) o alla coppia (12,6%) o agli amici (21,9%). Sono soprattutto le persone di età compresa fra i 35 e i 64 anni a pensare che il tempo libero sia quello passato con la famiglia (oltre il 30%).

Parte del tempo libero è trascorso semplice-mente rilassandosi, senza fare nulla di particolare, dal 72,9% della popolazione.

C'è più soddisfazione per come si trascorre il tempo libero (68,2%) che per la quantità di ore a disposizione.

Sono soprattutto le donne occupate, ben il 61%, a essere meno soddisfatte della quantità di tempo libero a disposizione a causa del fattore doppio lavoro (fuori e dentro casa).

Durante la settimana, il 49,2% della popolazione incontra i parenti almeno una volta, il 10% li incontra tutti i giorni. Le donne risulta-

no più attive degli uomini nella cura dei legami familiari.

Per quanto riguarda la sfera delle relazioni amicali, il 66,1% della popolazione incontra gli amici durante il tempo libero almeno una volta a settimana e il 20,1% li vede tutti i giorni.

Circa il 79% degli italiani, specialmente quelli di età compresa tra i 18 e i 44 anni, trascorre parte del suo tempo libero pranzando o cenando fuori casa, e di questa percentuale il 39,9% mangia fuori almeno una volta al mese.

Gli italiani sono appassionati anche di concor-

si a premi e lotterie. Il Superenalotto è il concorso più giocato, seguito dal Lotto e dal Totocalcio. Gli uomini partecipano più delle donne a questo tipo di diversivi.

L'abitudine al gioco (Lotto e Superenalotto) è più diffusa nel Meridione che nell'Italia settentrionale, mentre i concorsi a premi, le lotterie di vario tipo sono più diffusi al Centro.

Per quanto riguarda la partecipazione diretta a eventi culturali, spettacoli, concerti, il cinema si conferma come l'intrattenimento preferito degli italiani (41,8%), seguito da visite a monumenti storici (37,4%), manifestazioni sportive (25,2%), visite a musei e mostre (23,3%), teatro (15%) e visite a siti archeologici (14,6%).

Infine, risulta che il 92,4% delle famiglie possiede una TV, il 12,2% ha un'antenna satellitare e circa un terzo delle famiglie un PC.

Adattamento da www.istat.it, 2002.

Tempo per sé	......%
Tempo per la famiglia	......%
Tempo per gli amici	......%
Insoddisfazione per la quantità del tempo libero	......%
Soddisfazione per la qualità del tempo libero	......%
Incontrare i parenti una volta la settimana	......%
Incontrare gli amici tutti i giorni	......%
Mangiare fuori casa	......%
Andare al cinema	......%

Svolgete adesso una breve inchiesta tra i vostri compagni usando gli stessi parametri proposti dall'Istat e, con l'aiuto dell'insegnante, elaborate una statistica relativa alla vostra classe. Infine, discutete in classe sui temi proposti di seguito.

- *Che cos'è per voi il tempo libero?*
- *Alla luce dei dati Istat riportati dall'articolo, come giudicate il modo in cui gli italiani trascorrono il tempo libero?*
- *Nel vostro paese si fanno cose diverse?*

2. **Completate le frasi seguenti inserendo *di* (con o senza articolo) o *che* per il secondo termine di paragone e, al termine dell'esercizio, con l'aiuto dell'insegnante spiegate ai compagni la vostra scelta.**

1. C'è più soddisfazione per come si trascorre il tempo libero .... per la quantità di tempo libero.
2. Sono più le persone mature .... i giovani a considerare il tempo libero come tempo per la famiglia.
3. Le donne occupate sono meno soddisfatte .... uomini sulla qualità del tempo libero.
4. Le donne sono più attive .... uomini nel curare i legami familiari.
5. Gli uomini sono appassionati più .... donne ai giochi a premi e ai concorsi.
6. L'abitudine al gioco è più diffusa nel Meridione .... nel Settentrione.

3. **Abbinate a ciascuna parola o espressione tratta dal testo elencata nella colonna sinistra il sinonimo corrispondente nella colonna destra.**

1.	Svolto	a.	Componente
2.	Fattore	b.	Svago
3.	Legami	c.	Si dimostra
4.	Sfera	d.	Connessioni
5.	Si conferma	e.	Si rivela
6.	Diffusa	f.	Campo d'interesse
7.	Risulta	g.	Estesa
8.	Diversivo	h.	Eseguito

4. **Con l'aiuto dell'insegnante, elencate le associazioni presenti nella vostra città che offrono attività per il tempo libero, specificando che cosa propongono (per esempio laboratori di lettura, di teatro per bambini, spettacoli all'aperto ecc.).**
Suddividetevi quindi in gruppi ognuno dei quali raccoglierà del materiale informativo e, nel corso della prossima lezione, discutete sui temi proposti di seguito.

– *A chi sono dirette le attività?*
– *Sono molte le offerte gratuite?*
– *Ci sono iniziative che giudicate interessanti?*
– *Le offerte tengono conto di una società multiculturale?*

5. TRACCIA 12 **Ascoltate un gruppo di persone che parlano del loro tempo libero, quindi indicate quali delle affermazioni seguenti riflettono meglio il pensiero dei parlanti.**

1. ■ a. Karina si incontra con le amiche al parco perché anche al suo paese andava spesso al parco.
   ■ b. Karina non ha una casa sua per invitare le amiche e il parco è una buona soluzione.
   ■ c. Karina vive in una casa troppo piccola per invitarci tutte le sue amiche.

2. ■ a. Janet ha tante amiche con le quali si incontra spesso a casa di una di loro.
   ■ b. Janet si diverte molto perché fa parte di un'associazione che organizza molte attività.
   ■ c. Janet fa parte di un'organizzazione religiosa e tutte le domeniche, dopo la messa, gli iscritti ballano e cantano insieme.

3. ■ a. Abdul studia e lavora e non ha tempo per uscire.
   ■ b. Abdul non esce mai perché non gli interessa trovare una ragazza.
   ■ c. Abdul ha poco tempo libero ma va ogni tanto in discoteca perché adora ballare.

4. ■ a. Amelia ha poco tempo libero e quando può va al cinema.
   ■ b. Amelia una volta la settimana si incontra con un'amica per fare due chiacchiere.
   ■ c. Amelia ama molto stare in casa con il suo bambino e per questo non esce mai.

6. TRACCIA 12 **Ascoltate di nuovo la registrazione proposta nell'esercizio 5 e completate i brani seguenti facendo attenzione al cambio di persona.**

1. Karina (Lituania)
   Si chiama Karina e viene dalla Lituania. Lavorando come badante ....
   .... libero la settimana e lo trascorre di solito al parco, quando fa bello. Lì .... ce ne sono molte e spesso vivono in casa
   delle persone di cui .... e non hanno un posto loro e così
   .... e possono chiacchierare e anche aiutarsi tra di loro. Il parco è molto bello .... da mangiare.
   A volte vanno anche gli uomini del loro paese e c'è sempre qualcuno che suona la
   fisarmonica, o qualche altro strumento, e così ....
   Molte volte diventano tutti un po' tristi perché pensano al loro paese e ....
   ....

2. Janet (Ghana)
   I ghanesi .... molto uniti e hanno due associazioni in città. Lei ne
   frequenta una delle due perché non è legata alla chiesa, mentre l'altra è più religiosa e le attività sono meno interessanti. Anche loro ballano e cantano e fanno festa, ...! Nella sua associazione molte volte ....
   .... o eventi culturali e questo le piace tantissimo, perché è un
   modo di stare insieme: per esempio l'anno scorso le donne ....
   di fare una sfilata di moda, cioè con i loro vestiti tradizionali, hanno chiesto al Comune di dargli una sala e il Comune gliel'ha data, poi ....
   anche gli uomini a partecipare ed è stata una serata molto bella, perché hanno invitato la cittadinanza, hanno scritto un comunicato stampa e ....
   a tutti i media locali e ad alcuni rappresentanti del governo locale. Alla fine hanno
   deciso tutti di rifare una serata del genere, ma questa volta con la partecipazione
   di altre comunità e anche con gli italiani, che potrebbero presentare i vestiti tradizionali della regione. Ci .... e il suo tempo libero adesso
   è tutto preso da quella cosa.

3. Abdul (Tunisia)
   Lui lavora e studia e di tempo libero non ne ha molto. Però ....
   .... e così ogni tanto va in discoteca con i suoi amici e allora balla

tutta la sera, anche da solo, ... e balla... Non gli interessa trovare una ragazza perché ha una ragazza in Tunisia e quando finisce gli studi ...., però in Italia ha un paio di amiche dell'università e loro ogni tanto vanno con lui in discoteca, allora si .... tutti insieme e si divertono un sacco. Un paio di volte è successo che un buttafuori non volesse ...., e allora i suoi amici .... e se ne sono andati tutti, hanno detto: "Se non entra lui, nemmeno noi".

4. Amelia (Italia)
    "Tempo libero? Che cos'è?" dice Amelia. .... separata con un bambino e vive sola. Lavora in un supermercato, quando .... deve fare tremila cose a casa e poi c'è il bambino e deve stare anche con lui ovviamente. Le piace molto leggere ma non ha tempo neanche per quello; alla sera .... con un libro ma si addormenta dopo due pagine. .... molto andare al cinema, ma l'ultima volta che ha visto un film deve essere stato due anni fa, se lo ricorda ancora! Ogni settimana .... una sua amica, anche lei con un bambino piccolo, ... e fanno due chiacchiere; questo è il suo tempo libero!

7. **Leggete il titolo dell'articolo proposto e indicatene il contenuto scegliendo tra le alternative seguenti.**

▓ a. Un programma televisivo.
▓ b. Il rapporto degli italiani con la televisione.
▓ c. Che cosa piace ai bambini alla TV.
▓ d. Genitori tenuti a decidere come e quando usare la TV.

Quindi leggete l'articolo, verificate la vostra risposta e, con l'aiuto dell'insegnante, sottolineate le forme passive presenti nel testo spiegando di volta in volta perché è stata usata la forma passiva anziché quella attiva.

Tv baby-sitter, "grande mamma", "grande fratello", "grande nonno"

Gli italiani, secondo le ultime statistiche, passano moltissimo tempo libero seduti davanti al televisore: 252 minuti al giorno per la precisione. E i bambini? Quanta TV dovrebbero guardare? La TV fa male o fa bene?

1. La realtà degli anni 2000 è diversa rispetto al passato e fortemente **improntata** dal linguaggio della televisione, del computer o della Play Station. Il pericolo che la realtà virtuale si sovrapponga a quella effettiva è evidente e può succe-

dere che un bambino non riesca più a **discriminare** tra ciò che è vero e ciò che non lo è: si può volare, uccidere, vincere, morire, diventare ricchi e perdere tutto per ricominciare da capo subito dopo.

2. Può anche succedere di assistere in diretta a scene terribili di uccisioni e stragi o di vedere in trasmissione i propri vicini, trasferitisi improvvisamente dentro casa nostra attraverso il televisore nel corso di un *reality show*. C'è poi l'*Isola dei famosi*, che mostra limiti e difetti dei

personaggi **noti**, e c'è *Amici* – la cui conduttrice, Maria De Filippi, è **una di casa** – dove si può vedere quanto siano bravi – talvolta più bravi dei personaggi noti – ragazzi che fino a ieri erano **perfetti sconosciuti**. Tutto ciò induce spesso lo spettatore a ritenere che anche lui potrà trasformarsi in poco tempo in un personaggio.

3. Tutto questo è ovvio e scontato? La televisione è comunque uno strumento inevitabilmente presente nella nostra vita e come uno strumento deve es-

sere usato e **addomesticato**. La televisione non è buona o cattiva di per sé: dipende dall'uso che se ne fa, che ne fa il programmatore, il genitore. I bambini sono affidati alla cura dei genitori: non possono, non sanno e non devono decidere. È il genitore che deve stabilire quali strumenti usare per comunicare con i figli e per educarli.
4. Esistono chiare **norme** di comportamento: il bambino non deve rimanere di fronte alla TV per più di due ore di seguito; non deve vedere la TV dopo le 21,30; non deve guardare la TV quando sono trasmessi film a **contenuto** violento o erotico (contrassegnati dal bollino rosso); non deve vedere più di 10 ore di TV per settimana; non deve alternare la TV con la Play Station o usare la Play Station per più di un'ora consecutiva.
5. Eppure queste regole, che sembrano tanto ovvie, molto spesso non **vengono rispettate** e ascoltiamo storie di bambini che guardano programmi spaventosi, che rimangono alzati fino a tardi, che vedono più di due ore di TV al giorno e giocano per più di un'ora al giorno con la Play Station.
L'organizzazione dei tempi di ascolto degli adulti e di quelli dei più piccoli è profondamente **ostacolata** dai ritmi di vita e di lavoro stressanti. Non c'è più tempo per le relazioni umane e la TV diventa spesso lo strumento per rendere i rapporti sempre più passivi. La TV baby-sitter, ma anche la TV "grande mamma", "grande fratello", "grande nonno". Occorrono una presa di coscienza e una grande determinazione per trovare il tempo di stare con i nostri figli e non lasciare che la televisione diventi il loro unico punto di riferimento, sia educativo sia affettivo.

Adattamento da "La nostra salute", novembre 2003.

8. **Rispondete alle domande seguenti facendo riferimento all'articolo proposto nell'esercizio 7.**

1. Perché un bambino può confondere la realtà virtuale con il mondo reale? Citate alcuni esempi tratti dal testo.
....
....
....
....

2. L'autore del brano afferma che "la televisione non è buona o cattiva di per sé": che cosa significa?
....
....
....
....

3. Quali regole occorre seguire per gestire un corretto rapporto dei bambini con la TV?
....
....
....
....

4. Spiegate perché la TV finisce col diventare baby-sitter, mamma, fratello e nonno.
....
....
....
....
....

9. Sostituite alle parole evidenziate in neretto nell'articolo proposto nell'esercizio 7 quelle elencate di seguito. Quindi, suddivisi in coppie, discutete sui temi proposti.

> *impedita • vengono seguite • controllato • argomento • regole • intima amica •*
> *distinguere • estranei • conosciuti • segnata*

– Secondo voi, i genitori devono controllare quanto tempo i bambini passano alla TV e quali programmi guardano?
– Nel vostro paese d'origine, i bambini guardano molto la TV?
– Trovate giusto che i bambini siano usati in TV nella pubblicità o partecipino ai concorsi televisivi?

10. Completate il brano seguente inserendo i verbi indicati tra parentesi opportunamente coniugati (fate attenzione alla forma passiva).

Conoscete il gioco della dama?

Per il gioco della dama occorrono due giocatori, una scacchiera, 12 pedine bianche e 12 pedine nere (contrassegni in plastica o legno della forma e del diametro di una moneta da 2 euro).

Come si gioca.

Le pedine (1) .... (disporre) sulle caselle nere della scacchiera in modo che quelle bianche siano separate da quelle nere da due file di caselle vuote.
Le pedine possono procedere solo in avanti e (2) .... ("soffiare" o "mangiare") dalle pedine dell'avversario qualora rimanga una casella vuota dietro la pedina che (3) .... (fare sparire). Il fine di questa fase del gioco è quello di far raggiungere il lato opposto della scacchiera alla pedina, che quando vi arriva (4) .... (trasformare) in dama e in quanto tale (5) .... (spostare) dal giocatore sia in avanti sia indietro con notevoli vantaggi rispetto alla semplice pedina.
Lo scopo del gioco consiste nell'impadronirsi del numero massimo di pedine nemiche e se, per sbadataggine, un giocatore non "mangia" un pezzo dell'avversario, il suo pezzo (6) .... ("mangiare") a sua volta.

LAVORIAMO SULLA LINGUA

11. Individuate nei testi dell'esercizio 6 i pronomi combinati (ne compare uno nella descrizione di ogni personaggio), trascriveteli nella tabella seguente e, con l'aiuto dell'insegnante, dite a quale elemento del testo si riferiscono.

	Pronome combinato	Elemento cui si riferisce
Karina		
Janet		
Abdul		
Amelia		

12. Completate il dialogo inserendo i pronomi seguenti.

me le • lo • ce ne • me lo • gliene • lo • te lo • me lo

Anna: Sabato sera nei giardini pubblici c'è un concerto con Ligabue. Ti interessa?

Amel: Chi te l'ha detto?

Anna: L'ho letto sul volantino delle manifestazioni estive organizzate dal Comune. Guarda, ce ne sono per tutti i gusti: teatro di burattini, musica gitana, flamenco, e tutto gratis!

Amel: Anche flamenco? (1) .... devo dire a Edith, ne va matta! Quando è?

Anna: Fammi vedere... (2) .... sono due: il primo lunedì prossimo e il secondo il prossimo mese. C'è anche uno spettacolo di danze dei Balcani, non (3) .... voglio perdere perché sto facendo un corso di danze popolari e le danze balcaniche mi piacciono moltissimo.

Amel: Non (4) .... sapevo che ti piacesse ballare!

Anna: Non lo sapevo prima di incominciare il corso (5) .... aveva consigliato Jenny, e (6) .... sono molto grata perché mi ha fatto conoscere un mondo nuovo! Le lezioni sono divertentissime e non (7) .... perderei per tutto l'oro del mondo!

Amel: Quante volte la settimana vai al corso? Se non è troppo impegnativo ci vengo anch'io, lo sai che mi piace ballare...

Anna: Due volte la settimana, due ore a sessione. Se vuoi lo chiedo all'insegnante e (8) .... faccio sapere.

Amel: Perfetto, adesso però mettiamoci d'accordo per il concerto di Ligabue...

13. Disponetevi a coppie e interrogatevi l'un l'altro usando, nelle domande e nelle risposte rispettivamente, le espressioni indicate nella lista secondo l'esempio. Formulate le domande scegliendo tra i verbi seguenti: *praticare, preferire, visitare, guardare, usare, vedere.*

Esempio: Domanda: Sport (India). *Risposta:* Il cricket.
Qual è lo sport più praticato in India?

	Domande	Risposte
1.	Sport femminile (Australia)	Il nuoto
2.	Forma di intrattenimento (Italia)	La televisione
3.	Regista (Spagna)	Almodóvar
4.	Mezzo di trasporto (Cina)	La bici
5.	Monumento (Italia)	Il Colosseo
6.	Meta turistica (Italia)	La Riviera adriatica
7.	Programmi televisivi (nel mondo)	Le telenovelas

1. ....
2. ....
3. ....
4. ....
5. ....
6. ....
7. ....

14. Leggete il breve brano proposto di seguito e il testo sulle forme particolari di compara-zione, quindi completate le frasi seguenti inserendo i comparativi e i superlativi parti-colari appropriati.

Crescere maschio, crescere femmina

Le adolescenti spendono più tempo libero per aiutare in casa rispetto agli adolescenti, hanno meno tempo libero e lavorano (retribuite) meno dei loro coetanei.
Anche tra ragazze e ragazzi l'uso del tempo libero è molto diverso. I maschi dedicano **la maggior** *parte del loro tempo libero ad attività retribuite e si concedono più libertà del-le ragazze.* (Istat)

Maggiore è una forma particolare di comparazione come anche quelle evidenziate ne-gli esempi seguenti.

– Questo olio di oliva è **più buono** di quello.
– Certamente, è proprio **migliore**.

– Questo risultato delle elezioni è **più cattivo** del previsto.
– È molto **peggiore**!

– Andrea ha problemi **più grandi** dei nostri.
– Sì, i suoi problemi sono decisamente **maggiori**.

– La mia sorella **più piccola** si chiama Ami Tan.
– La mia sorella **minore** si chiama Marcella.

– Quel negozio ha fatto dei guadagni **più alti** di tutti gli altri.
– Sì, sono stati **superiori** al previsto.

– Le sue possibilità di vincere sono **più basse** di quanto si pensi.
– Sì, sono **inferiori** alle aspettative.

Queste forme hanno anche il superlativo particolare:
maggiore – **massimo**;
minore – **minimo**;
migliore – **ottimo**;
peggiore – **pessimo**;
superiore – **supremo**;
inferiore – **infimo**.

1. Per me il momento .... della giornata è il mattino quando faccio colazione e ascolto la musica.
2. La cosa .... che ti possa capitare quando viaggi è perdere il passaporto.
3. La scelta di quello spettacolo all'aperto è stata .... : le zanzare ci hanno mangiato vivi.
4. Andare al circo con i bambini è stata un' .... idea!
5. Mia figlia riesce sempre a ottenere buoni voti con il .... sforzo.
6. Una delle .... difficoltà per chi emigra è la lingua.
7. La partecipazione degli uomini ai concorsi a premi è .... a quella delle donne.

15. Completate il brano seguente coniugando i verbi indicati tra parentesi nei tempi corretti (fate attenzione alla forma passiva).

Un grave incidente (1) .... (riportare) nel giornale radio di questa mattina. Nell'incidente, avvenuto sulla statale Rimini-Riccione, due minorenni (2)........................... (uccidere) e altre tre persone, di venti, ventuno e diciannove anni, (3) .... (ricoverare) all'ospedale di Rimini in gravi condizioni. La statale in questione (4) .... (considerare) una strada molto pericolosa perché (5) .... (frequentare) da giovani in stato di ebbrezza dopo aver trascorso tutta la notte in uno dei tanti locali della famosa riviera romagnola. L'ora della sciagura (6) .... (calcolare) verso le cinque del mattino e l'allarme (7) .... (dare) dagli abitanti di una casa che fiancheggia le statale i quali (8) .... (svegliare) dal forte rumore dello scontro avvenuto tra il veicolo dei ragazzi e il *guardrail* della strada. L'auto, infatti, che procedeva a velocità sostenuta, è sbandata in una curva e si è schiantata contro il *guardrail* destro della strada. L'ambulanza (9) .... (chiamare) immediatamente dopo l'allarme ma per i due giovani non c'è stato nulla da fare.

16. Trasformate le frasi seguenti nella forma passiva.

1. Le agenzie di viaggio non sempre danno informazioni corrette.
   ....
2. Ti piace quella pianta? Me l'hanno regalata i miei colleghi.
   ....
3. Uno dovrebbe prendere tutte le informazioni possibili prima di partire per l'estero.
   ....
4. Il nuovo direttore dovrà affrontare molti problemi per la riorganizzazione del centro ricreativo giovanile.
   ....

RIEPILOGO GRAMMATICALE

▪▪ GLI AGGETTIVI QUALIFICATIVI

Gli aggettivi qualificativi possono presentare tre gradi.

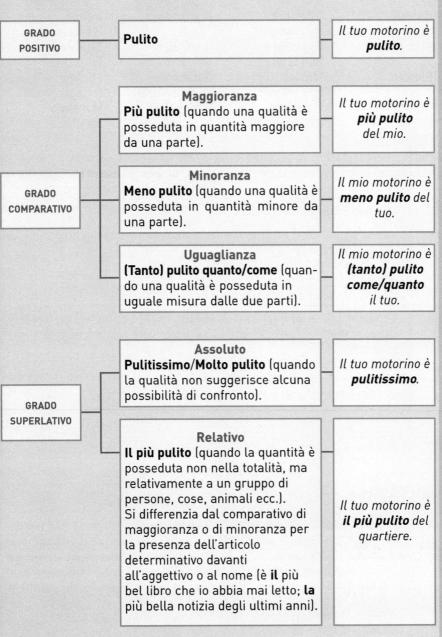

GRADO POSITIVO	Pulito		Il tuo motorino è **pulito**.
GRADO COMPARATIVO	**Maggioranza** **Più pulito** (quando una qualità è posseduta in quantità maggiore da una parte).		Il tuo motorino è **più pulito** del mio.
	Minoranza **Meno pulito** (quando una qualità è posseduta in quantità minore da una parte).		Il mio motorino è **meno pulito** del tuo.
	Uguaglianza **(Tanto) pulito quanto/come** (quando una qualità è posseduta in uguale misura dalle due parti).		Il mio motorino è **(tanto) pulito come/quanto** il tuo.
GRADO SUPERLATIVO	**Assoluto** **Pulitissimo/Molto pulito** (quando la qualità non suggerisce alcuna possibilità di confronto).		Il tuo motorino è **pulitissimo**.
	Relativo **Il più pulito** (quando la quantità è posseduta non nella totalità, ma relativamente a un gruppo di persone, cose, animali ecc.). Si differenzia dal comparativo di maggioranza o di minoranza per la presenza dell'articolo determinativo davanti all'aggettivo o al nome (è **il** più bel libro che io abbia mai letto; **la** più bella notizia degli ultimi anni).		Il tuo motorino è **il più pulito** del quartiere.

Quando il superlativo relativo è seguito da una frase relativa, il verbo di questa è coniugato al congiuntivo.
*È la città più pulita che io **conosca**.*

Gli aggettivi elencati di seguito, oltre alle forme regolari, presentano forme irregolari di comparativo e di superlativo.

Buono	**Migliore** (più buono)	**Il migliore** (il più buono)	**Ottimo** (buonissimo)
Cattivo	**Peggiore** (più cattivo)	**Il peggiore** (il più cattivo)	**Pessimo** (cattivissimo)
Basso	**Inferiore** (più basso)	**Il più basso**	**Infimo** (bassissimo)
Alto	**Superiore** (più alto)	**Il più alto**	**Supremo** (altissimo)
Piccolo	**Minore** (più piccolo)	**Il minore** (il più piccolo)	**Minimo** (piccolissimo)
Grande	**Maggiore** (più grande)	**Il maggiore** (il più grande)	**Massimo** (grandissimo)

Nella comparazione, il secondo termine di paragone del comparativo di maggioranza e di minoranza è introdotto da **di**, **che**, **di quanto**, **di quello**, **a**.

- Si usa **di** normalmente.
  *Luigi è più/meno simpatico **di** Mario.*

- Si usa **che** quando il confronto è tra parole della stessa categoria (due verbi, due nomi, due aggettivi ecc).
  *Gli italiani sono più telespettatori **che** sportivi.*
  *Amo più leggere **che** guardare la TV.*
  *Luigi è più furbo **che** intelligente.*

- Si usano le forme **di quanto** o **di quello** seguite da un verbo (*credere*, *sperare*, *sospettare*, *pensare* ecc.) che, in un contesto formale, è coniugato al congiuntivo.
  *Ho avuto un punteggio più alto **di quanto** sperassi.*
  *Ha meno tempo libero **di quanto** si pensi.*
  *È risultato molto più simpatico **di quello** che mi aspettassi.*

- Si usa **a** con i comparativi *superiore* e *inferiore*.
  *Il numero di uomini che si prendono cura dei neonati è nettamente inferiore **a** quello delle donne.*

■■■PASSIVO

Nella forma passiva (possibile solo con i verbi transitivi) l'azione non è compiuta dal soggetto o agente ma da un complemento detto appunto **complemento d'agente**; il complemento d'agente è introdotto dalla preposizione **da**. I verbi transitivi possono essere coniugati nella forma passiva usando l'ausiliare **essere** e il participio passato del verbo in questione: il complemento oggetto della forma attiva diventa così il soggetto della forma passiva, mentre il soggetto della forma attiva diventa complemento d'agente.

Maria mangia **un gelato**.	→	**Un gelato** è mangiato da Maria.
Le bombe distruggeranno **il paese**.	→	**Il paese** sarà distrutto dalle bombe.
Quando la casa editrice avrà stampato **il mio libro**...	→	Quando **il mio libro** sarà stato stampato dalla casa editrice...

Mio nonno **mi** portava sempre a scuola. → **(Io)** ero portata sempre a scuola da mio nonno.

La polizia ha interrogato **un poveretto**. → **Un poveretto** è stato interrogato dalla polizia.

Assassinarono **John Lennon** nel 1980. → **John Lennon** fu assassinato nel 1980.

Si noti che l'ausiliare è coniugato nello stesso tempo e modo del verbo della frase attiva e che il participio passato si accorda con il soggetto in numero e genere.

A parte l'ausiliare *essere*, per i tempi semplici si possono usare anche *venire* e *andare*.

*Spero che il concorso **venga** vinto dal mio amico.*
*La pasta **va** servita calda.*

Usi del passivo

Il passivo è usato molto spesso quando l'agente non è espresso.
È stato ricoverato d'urgenza in ospedale.
La legge sulle coppie di fatto è stata discussa al senato il mese scorso.
Alla fine del nostro corso verrà rilasciato un certificato di frequenza.

Il passivo è usato anche per mettere in rilievo l'oggetto dell'azione (che, come abbiamo osservato, nella costruzione passiva diventa il soggetto della frase).
La bambina è stata trovata da un passante (invece di *un passante ha trovato la bambina*, per cui "la bambina" assume una posizione di rilievo rispetto al "passante").

■■■**ESERCIZI**

1. **Completate le frasi seguenti scegliendo *di* (anche articolata), *che*, *di quanto*, *a quello* per introdurre il secondo temine di paragone.**

1. Preferisco viaggiare in treno .... in macchina.
2. Luigi è più intelligente .... studioso.
3. Secondo le statistiche gli italiani si rilassano meno .... si pensi.
4. Il numero delle donne in politica è nettamente inferiore .... degli uomini.
5. Il mare Adriatico è meno inquinato .... che si creda.
6. In Italia il gioco del calcio è più popolare .... rugby.
7. Venezia è una delle città più turistiche .... Italia.
8. Nel Nord Italia si mangia più carne .... pesce.
9. Il treno è più comodo .... aereo.
10. Normalmente si dorme più in inverno .... in estate.

2. Completate le frasi seguenti inserendo i comparativi e i superlativi irregolari seguenti opportunamente concordati.

superiore • peggiore • minimo • massimo • ottimo • migliore • maggiore

1. Majida ha due fratelli ....
2. Paola riesce sempre a ottenere il .... risultato con il .... sforzo.
3. Per me il momento .... della giornata è la mattina mentre faccio colazione ascoltando la radio.
4. È stata un'...................... idea andare a trovare Paul nella sua casa di campagna: è stato molto rilassante.
5. Amal è la mia .... amica.
6. L'estate scorsa è stata la .... della mia vita: l'ho passata a letto con una gamba rotta.
7. Il fratello .... di Maria ha 10 anni meno di lei.
8. La qualità delle verdure coltivate nel proprio orto è decisamente .... a quella delle verdure comprate.
9. Luigi è proprio uno stupido, eppure pensa di avere un'intelligenza ....!

3. Trasformate al grado superlativo gli aggettivi e gli avverbi presenti nelle frasi seguenti.

1. Dopo questa camminata non siamo stanchi, siamo ....!
2. Nell'ora di punta a Roma gli autobus non sono semplicemente affollati, sono ....!
3. Paola è una persona sempre gentile con tutti, è davvero ....
4. Buono questo piatto marocchino, ... direi!
5. L'anno scorso in Spagna sono stata proprio bene, anzi ....!
6. A casa di Luis ho assaggiato un buon vinello fresco fatto da lui: era ....!
7. Ieri sera ho visto un film che non mi è piaciuto: era noioso, anzi ....!
8. Ho incontrato Majida al mercato l'altro giorno, si era tagliata i capelli e stava proprio bene, stava .... con quel taglio moderno.

4. Completate il brano seguente coniugando nella forma passiva e nei tempi appropriati i verbi indicati tra parentesi.

Corso euromediterraneo di giornalismo ambientale

Dal 3 di ottobre riparte l'avventura: quest'anno il corso (1) .... (tenere) ad Ascea Marina e Stio, in provincia di Salerno. Il corso (2) .... (rivolgere) a giornalisti pubblicisti e professionisti ma (3) .... (aprire) anche a diplomati e laureati interessati alle conoscenze di base dell'informazione ambientale.

Per l'edizione 2005 (4) .... (formare) una classe di 30 elementi, tra italiani e stranieri provenienti da paesi dell'area del Mediterraneo. (5) .... (Offrire) borse di studio e il percorso formativo (6) .... (chiudere) con un workshop di due settimane.
(7) .... (Programmare) visite guidate nel Parco Nazionale del Cilento e (8) .... (organizzare) incontri per la degustazione di prodotti tipici. Al termine, a ogni studente (9) .... (dare) un attestato di frequenza e di valutazione.

Adattamento da "La Nuova ecologia", settembre 2005.

5. Trasformate le frasi seguenti nella forma passiva.

1. Con la legge Moratti sulla riforma della scuola, la scuola dell'infanzia accetterà i bambini di età inferiore ai tre anni.
   ....
   ....

2. La legge abolisce il tempo pieno, chi desidera il tempo pieno dovrà pagarlo di tasca propria.
   ....
   ....

3. La legge ripristina due categorie di scuole: una per chi intende continuare a studiare e l'altra per l'addestramento al lavoro subito, il vecchio "avviamento professionale", dicono alcuni.
   ....
   ....
   ....

4. La legge prevede l'inizio dello studio della lingua straniera a sei anni.
   ....

5. Ogni due anni si fa una valutazione e si promuove o si respinge lo studente.
   ....

6. Trasformate le frasi seguenti nella forma passiva.

1. L'arbitro ha sospeso la partita per 10 minuti.
   ....

2. Un'importante banca della città ha dato i fondi per la ristrutturazione.
   ....

3. Maria ha interpretato male le mie parole.
   ....

4. Ogni anno migliaia di turisti tedeschi visitano la riviera adriatica.
   ....

5. Al museo cittadino allestiranno una suggestiva mostra fotografica.
   ....

6. La scuola di mio figlio l'anno scorso ha organizzato una gita molto interessante.
   ....

7. Gli italiani preferiscono la pasta al riso.

....

8. La maggior parte degli italiani legge giornali sportivi invece di leggere quotidiani più impegnativi.

....

9. I genitori devono capire i figli.

....

10. Credevo che l'arbitro avesse annullato la partita a causa dei tifosi violenti.

....

11. Un temporale violentissimo ha colpito la nostra città.

....

12. Credo che la radio abbia dato ieri la brutta notizia.

....

13. Puoi comprare questo prodotto in qualsiasi negozio alimentare.

....

7. Indicate la frase corretta.

1. ■ a. Il campionato mondiale di calcio ha seguito da milioni di telespettatori.
   ■ b. Il campionato mondiale di calcio è stato seguito da milioni di telespettatori.
   ■ c. Il campionato mondiale di calcio è andato seguito da milioni di telespettatori.

2. ■ a. Questa canzone viene scelta dagli adolescenti.
   ■ b. Questa canzone va scelta dagli adolescenti.
   ■ c. Questa canzone è andata scelta dagli adolescenti.

3. ■ a. Un complimento ha ricevuto sempre con piacere.
   ■ b. Un complimento è venuto ricevuto sempre con piacere.
   ■ c. Un complimento viene ricevuto sempre con piacere.

4. ■ a. Da una settimana non si trovano i biglietti per il concerto di Sting.
   ■ b. Da una settimana non si trova i biglietti per il concerto di Sting.
   ■ c. Da una settimana non vengono trovati i biglietti per il concerto di Sting.

5. ■ a. Le regole di qualsiasi gioco vanno rispettate dai giocatori.
   ■ b. Le regole di qualsiasi gioco si rispettano dai giocatori.
   ■ c. Le regole di qualsiasi gioco vanno rispettato dai giocatori.

6. ■ a. Se le mie richieste vengano prese in considerazione, tornerò a gareggiare.
   ■ b. Se le mie richieste verranno prese in considerazione, tornerò a gareggiare.
   ■ c. Se le mie richieste andranno prese in considerazione, tornerò a gareggiare.

TEMA 3
La città in cui vivo

UNITÀ 9
Noi e l'ambiente

CONTENUTI

- Valutare la propria sensibilità ambientale
- Discutere problematiche ambientali
- Individuare modalità di risparmio energetico

GRAMMATICA

- Imperativo con i pronomi
- *Si deve, si può*
- *Si* impersonale, *si* passivante
- Preposizione *su*

1. **Guardate le immagini e assegnate un punteggio da 1 a 10 a ciascuno dei parametri proposti relativi alla qualità della vita nella vostra città.**

Parchi pubblici _ _

Zone pedonali _ _

Piste ciclabili _ _

Trasporti pubblici _ _

Asili nido _ _

2. Discutete in classe sui parametri relativi alla qualità della vita suggeriti nell'esercizio 1: li ritenete importanti? Ne avete altri da aggiungere?

3. Siete ambientalisti? Disponetevi in coppie e compilate la tabella seguente.

	Sempre	Spesso	Qualche volta	Quasi mai	Mai
1. Preferisco la doccia al bagno.	✓				
2. Quando mi insapono chiudo il rubinetto.			✓		
3. Quando mi spazzolo i denti chiudo il rubinetto.			✓		
4. Uso l'acqua della bollitura di riso o pasta per lavare i piatti.					✓
5. Uso la lavatrice non oltre i 30 °C.		✓			
6. Riempio completamente la lavatrice.		✓			
7. Spengo le luci se non soggiorno nella stanza.	✓				
8. Uso lampadine a basso consumo energetico.		✓			
9. Faccio la raccolta differenziata di: carta;	✓				
plastica;	✓				
vetro e lattine.	✓				
10. Spengo la spia della TV.	✓				
11. Evito di muovermi in macchina piuttosto che a piedi o in bicicletta.			✓		
12. Prima di comprare qualcosa mi chiedo se ne ho veramente bisogno.		✓			
13. Vado a fare la spesa portando le borse da casa.		✓			

Calcolo del punteggio

Sempre	10 punti
Spesso	8 punti
Qualche volta	6 punti
Quasi mai	4 punti
Mai	0 punti

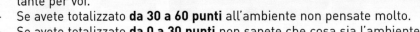

Profilo

- Se avete totalizzato **da 120 a 150 punti** siete dei buoni ambientalisti.
- Se avete totalizzato **da 90 a 120 punti** vi interessate alla questione ambientale ma non sempre agite di conseguenza.
- Se avete totalizzato **da 60 a 90 punti** la questione ambientale non è molto importante per voi.
- Se avete totalizzato **da 30 a 60 punti** all'ambiente non pensate molto.
- Se avete totalizzato **da 0 a 30 punti** non sapete che cosa sia l'ambiente.

4. Con l'aiuto dell'insegnante, spiegate il significato dei termini e delle espressioni seguenti.

1. Riciclaggio ....
2. Raccolta differenziata ....
3. Prodotti imballati senza motivo ....
4. Inquinare ....
5. Inceneritore ....
6. Diossina ....

5. TRACCIA 13 Ascoltate la prima parte dell'intervista a E. Burani, addetto alla raccolta differenziata del comune di Modena, quindi indicate se le affermazioni seguenti sono vere o false.

	V	F
1. Se non si fa la raccolta differenziata, i rifiuti finiscono nelle discariche o negli inceneritori.	✗	■
2. Dal vetro e dalla carta si recupera solo il 50%.	■	✗
3. Non si deve fare la raccolta differenziata delle pile perché comunque non è possibile utilizzarle.	■	✗
4. Solo una piccola quantità di plastica si può recuperare.	✗	■
5. La plastica rilascia diossina quando viene incenerita.	✗	■
6. Non esistono incentivi economici per chi fa la raccolta differenziata.	✗	■

6. TRACCIA 14 Ascoltate ora la seconda parte dell'intervista, quindi elencate almeno cinque modi per consumare meno risorse naturali tra quelli suggeriti.

1. ....
2. ....
3. ....
4. ....
5. ....

7. Scrivete tre frasi sui motivi per i quali, secondo quanto ascoltato nell'intervista proposta (esercizi 5 e 6), è preferibile riciclare i rifiuti piuttosto che buttarli nelle discariche.

1. ....
   ....
   ....
   ....
2. ....
   ....
   ....
   ....
3. ....
   ....
   ....

Sapevate che in Europa ogni persona consuma in media dai 250 ai 300 litri di acqua al giorno?

Nazione	Consumo pro capite (l/ab./giorno)	Tariffa media acqua potabile (€/m³)	Tariffa media servizi idrici (€/m³)
Norvegia	704	0,47	1,39
Italia	340	0,27	0,62
Svezia	203	0,64	1,73
Svizzera	190	1,04	2,75
Finlandia	178	0,69	1,78
Ungheria	175	0,3	0,63
Austria	150	1,31	2,63
Francia	135	1,35	2,02
Gran Bretagna	135	1,28	1,28
Danimarca	132	1,01	2,22
Germania	128	1,76	4,24
Spagna	128	0,64	1,01
Belgio	127	1,39	1,81

Ripartizione dei consumi domestici in Italia

Il grafico rappresenta la ripartizione dei consumi di acqua domestici a livello italiano. Risultano evidenti i settori in cui il consumo potrebbe essere ridotto adottando opportuni accorgimenti e comportamenti ecorispettosi.

8. Riscrivete all'imperativo i seguenti suggerimenti utili per risparmiare acqua nelle nostre case come indicato nell'esempio.

Esempio: Fare la doccia invece del bagno.
(tu) **fai**   (Lei) **faccia**   (voi) **fate**

1. Annaffiare il giardino con l'acqua del lavaggio di frutta e verdura.
(tu) ....   (Lei) ....   (voi) ....

2. Chiudere il rubinetto mentre ci si spazzolano i denti.
   (tu) .... (Lei) .... (voi) ....

3. Fare la lavatrice sempre a pieno carico.
   (tu) .... (Lei) .... (voi) ....

4. Usare l'acqua di cottura di pasta o riso per lavare i piatti.
   (tu) .... (Lei) .... (voi) ....

5. Lavare frutta e verdura lasciandole in ammollo in bacinelle.
   (tu) .... (Lei) .... (voi) ....

6. Utilizzare il secchio per lavare l'auto.
   (tu) .... (Lei) .... (voi) ....

9. **Disponetevi in coppie, leggete il brano seguente e completatelo inserendo opportunamente le parole elencate.**

diritto • utilizzata • blu • risparmio • risorsa • possibile • aumentare • economici • dighe • bene • responsabilità • consumare • uso • attività • domanda • responsabile • consumare

L'acqua, un bene prezioso

L'acqua è un prezioso (1) .... comune, l'accesso a essa è un (2) .... universale.
Le modalità del consumo dell'acqua, per poterne assicurare continuità e salubrità, devono ispirarsi all' (3) .... razionale e sostenibile. Il nostro è il pianeta (4) .... perché composto per la gran parte di acqua. Anche se solo una piccolissima parte di questa può essere (5) .... per le necessità degli esseri viventi, l'acqua è presente direttamente o indirettamente in tutte le nostre (6) .... Ma avere a disposizione tutta l'acqua che serve non è facile, per molti popoli è già molto difficile e in futuro non sarà sempre (7) ....
L'acqua è vita, prima che una (8) .... primaria, prima che un bene economico, e per questo il suo valore non può essere misurato solo in termini (9) ....
Di fronte alla (10) .... d'acqua (e di energia) la prima risposta è di (11) .... la produzione, puntando solo su nuove infrastrutture, su nuove (12) .... È un modo sbagliato di affrontare il problema. Si dovrebbe invece provare a (13) .... meno e meglio, per garantire questa risorsa a tutti, oggi e domani: con il (14) .... e la conservazione, con l'uso corretto e (15) ...., con il riciclo. L'acqua è una risorsa fondamentale e insostituibile, che dobbiamo tutti usare con (16) ...., rispetto e giudizio. C'è tanta acqua nella nostra vita, se vogliamo che continui a esserci per noi e per le generazioni future, dobbiamo imparare a (17) .... solo quella necessaria.

10. Leggete il brano seguente, quindi rispondete alle domande.

Le donne del Kerala

1. La Coca-Cola era stata **espulsa** dal governo indiano nel 1977 ma ha rimesso piede nel paese nel 1993, insieme all'altra multinazionale americana, la Pepsi-Cola. Attualmente le due imprese possiedono 90 stabilimenti di **imbottigliamento** che in realtà sono di **pompaggio** perché ognuno di questi stabilimenti **estrae** da 1 a 1,5 milioni di litri di acqua al giorno.

2. Il processo di fabbricazione di queste bevande gassose presenta rischi seri e certi. Prima di tutto gli stessi stabilimenti pompando acqua dal terreno (le **falde acquifere**) tolgono ai poveri il diritto fondamentale ad avere acqua potabile. Inoltre producono rifiuti tossici che minacciano l'ambiente e la salute delle persone. Infine, producono bevande notoriamente pericolose per la salute.

3. Per più di un anno alcune donne del distretto di Palaghat nello stato del Kerala hanno organizzato *sit-in* di protesta contro il **prosciugamento** delle falde causato dalla Coca-Cola: gli abitanti devono andare a cercare l'acqua sempre più lontano mentre si vedono camion pieni di bevande gassose che escono dagli stabilimenti della Coca-Cola. Per fare un litro di Coca-Cola si usano 9 litri di acqua potabile.

4. Il consiglio del villaggio aveva concesso alla multinazionale l'autorizzazione ad **attingere** acqua però alla condizione che si usassero pompe a motore. Ma la Coca-Cola ha scavato sei pozzi **attrezzandoli** con pompe elettriche ultrapotenti e ha iniziato a pompare milioni di litri di acqua pura al giorno. Il livello delle falde è drasticamente sceso ed è passato da 45 metri di profondità a 150 metri. Inoltre la poca acqua rimasta è stata inquinata dalle acque sporche che la Coca-Cola ha **convogliato** nei pozzi a secco. Così i rappresentanti delle tribù e dei contadini hanno denunciato le contaminazioni e le **trivellazioni** senza criterio e hanno richiesto la protezione delle sorgenti di acqua potabile, degli **stagni** e la manutenzione delle vie navigabili e dei canali.

5. Il consiglio del villaggio ha chiesto spiegazioni che la Coca-Cola ha rifiutato di dare e quindi le ha notificato la **soppressione** della licenza. Tuttavia, il governo del Kerala ha continuato a proteggere l'impresa e le ha concesso 36.000 euro a titolo di **sovvenzione** alla politica industriale regionale. La Pepsi-Cola e la Coca-Cola ricevono aiuti simili in tutti gli stati indiani in cui operano. E tutto questo per produrre bibite il cui **valore nutrizionale** risulta nullo rispetto a quello delle bevande tradizionali.

Il movimento nato dalle donne del Kerala ha attivato però, non solo a livello nazionale, un crescendo di solidarietà e finalmente, nel 2004, anche dopo un periodo di **siccità** che ha aggravato ulteriormente la crisi idrica, il governo del Kerala ha ordinato la chiusura dello stabilimento della Coca-Cola.

Adattamento da
"le Monde Diplomatique", marzo 2005.

1. Dove si trova il Kerala?

2. Nel brano si parla di città o di campagna?

3. Quali sono i protagonisti principali della vicenda?

11. Collegate ciascuna delle parole ed espressioni elencate nella colonna sinistra (le stesse evidenziate nel brano proposto nell'esercizio 10) con il suo sinonimo.

1.	Espulsa	a.	Sussidio
2.	Imbottigliamento	b.	Cacciare
3.	Pompaggio	c.	Aridità, secchezza
4.	Estrae	d.	Nutritivo, che alimenta
5.	Falde acquifere	e.	Abolizione, annullamento
6.	Prosciugamento	f.	Rendere asciutto
7.	Attingere	g.	Fornendole
8.	Attrezzandole	h.	Dirigere verso qualcosa
9.	Convogliato	i.	Perforazioni
10.	Trivellazioni	l.	Piccola distesa d'acqua
11.	Stagni	m.	Prendere, ricavare
12.	Soppressione	n.	Complesso di acque nel terreno
13.	Sovvenzione	o.	Prendere dal terreno
14.	Nutrizionale	p.	Mettere in contenitori
15.	Siccità	q.	Prelevare

12. Disponendovi in coppie rispondete alle domande seguenti relative all'articolo proposto nell'esercizio 10.

1. Quanti litri di acqua al giorno estraggono la Coca-Cola e la Pepsi-Cola da ogni stabilimento? (paragrafo 1)

....

2. Quali rischi presenta la fabbricazione di bevande come la Coca-Cola? (paragrafo 2)

....
....
....

3. Perché le donne hanno organizzato *sit-in* di protesta? (paragrafo 3)

....
....
....

4. A quale condizione il consiglio del villaggio ha dato l'autorizzazione alla Coca-Cola? (paragrafo 4)

....
....
....

5. Che cos'ha fatto invece la multinazionale? (paragrafo 4)

....
....
....

6. Che cos'hanno chiesto i contadini e gli abitanti al consiglio del villaggio? (paragrafo 4)

....
....
....

7. Perché la Coca-Cola poteva continuare la sua attività anche senza la licenza del consiglio del villaggio? (paragrafo 5)

    . . . .

    . . . .

    . . . .

8. Perché alla fine il governo dello stato del Kerala ha fatto chiudere lo stabilimento? (paragrafo 5)

    . . . .

    . . . .

    . . . .

LAVORIAMO SULLA LINGUA

13. Leggete le espressioni seguenti, tratte dall'intervista a E. Burani proposta negli esercizi 5 e 6, e con l'aiuto dell'insegnante rispondete alle domande.

a. Se *si riesce* in parte a riusare ciò che *si butta*, si dovranno utilizzare meno risorse primarie per produrre altri prodotti.
b. La plastica rimane un grosso problema perché *si può riutilizzare* solo un certo tipo di plastica, per esempio delle bottiglie dell'acqua, dei flaconi di detersivi e *si producono* dei sottoprodotti, per esempio panchine per i parchi ecc.
c. *Si aggiustavano* le cose, non *si buttava* via nulla che potesse servire.

1. Perché è usato il pronome *si*?

    . . . .

2. Quando il verbo è concordato al singolare e quando al plurale?

    . . . .

14. Riscrivete le frasi citate nell'esercizio 13 in forma diversa.

> *Esempio: Se si riesce in parte a riusare ciò che si butta, si dovranno utilizzare meno risorse primarie.*
> Se le persone riescono in parte a riusare ciò che buttano, si dovranno utilizzare meno risorse primarie./Se noi riusciamo in parte a riusare ciò che buttiamo, si dovranno utilizzare meno risorse primarie.

1. . . . .

    . . . .

2. . . . .

    . . . .

15. Leggete i consigli seguenti e trasformate la forma di ognuno usando il *si* impersonale come nell'esempio.

> *Esempio:* Non usare sacchi di plastica per gli scarti di cucina, usare sacchetti di carta.
> Per gli scarti di cucina non **si devono usare** sacchetti di plastica, **si devono usare** sacchetti di carta.

1. Vuotare e schiacciare i contenitori.

   . . . .

   . . . .

2. Non introdurre carta in buste di plastica.

   . . . .

   . . . .

3. Vuotare e sciacquare i contenitori. Non introdurre ceramica.

   . . . .

   . . . .

4. Consegnare il materiale in sacchetti chiusi.

   . . . .

   . . . .

5. Non abbandonare rifiuti fuori dai cassonetti.

   . . . .

   . . . .

6. Svuotare e piegare scatole e cartoni.

   . . . .

   . . . .

7. Non introdurre materiale riciclabile nel cassonetto dei rifiuti indifferenziati.

   . . . .

   . . . .

16. Sapevate che... Completate le frasi seguenti inserendo la forma corretta del verbo suggerito tra parentesi.

1. Quasi il 90% dei quotidiani italiani . . . . (stampare) su carta riciclata.
2. Il 100% delle scatole per i prodotti più fragili o voluminosi . . . . (realizzare) in cartone riciclato.
3. Da 100 kg di rottame di vetro . . . . (ricavare) 100 kg di prodotto nuovo, mentre occorrono 120 kg di materie prime per aver 100 kg di vetro nuovo.
4. Utilizzando vetro riciclato . . . . (risparmiare) il 2,5% di combustibile ogni 10% di rottame usato.
5. Per produrre nuovi oggetti in alluminio . . . . (usare) solo il 5% di energia che servirebbe per produrli dalla materia prima.
6. Con 3 lattine . . . . (fare) un paio di occhiali.
7. Con 20 bottiglie . . . . (confezionare) 1 pila.
8. Con 10 flaconi di plastica . . . . (fare) una sedia.
9. Con la raccolta differenziata dei rifiuti organici . . . . (sottrarre) all' inceneritore o alla discarica fino a un terzo dei rifiuti prodotti dalla famiglia.

17. Riscrivete le espressioni seguenti usando la forma negativa dell'imperativo.

Esempio: Divieto di raccolta di fiori e piante selvatiche.
   (tu)   Non raccogliere i fiori e le piante selvatiche.
   (Lei)   Non raccolga i fiori e le piante selvatiche.
   (voi)   Non raccogliete i fiori e le piante selvatiche.

1. Divieto di caccia.
   (tu) ....
   (Lei) ....
   (voi) ....

2. È proibito usare acqua per lavare le macchine e innaffiare i giardini nei mesi estivi.
   (tu) ....
   (Lei) ....
   (voi) ....

3. È proibito abbandonare rifiuti pericolosi come batterie, pile, medicinali, lampade al neon.
   (tu) ....
   (Lei) ....
   (voi) ....

4. È vietato gettare nel cassonetto della carta carte sporche o plastificate.
   (tu) ....
   (Lei) ....
   (voi) ....

18. Coniugate i verbi all'imperativo e sostituite le parti evidenziate in corsivo usando un pronome come nell'esempio.

Esempio: Usare *la carta riciclata*.
        (tu)   usala
        (Lei)   la usi
        (voi)   usatela

1. Riempire completamente *la lavatrice* prima di fare il bucato.
   (tu) ....
   (Lei) ....
   (voi) ....

2. Non lasciare gocciolare *i rubinetti*.
   (tu) ....
   (Lei) ....
   (voi) ....

3. Scegliere *auto piccole*.
   (tu) ....
   (Lei) ....
   (voi) ....

4. Spegnere sempre *le luci* quando si esce dalla stanza.
   (tu) ....
   (Lei) ....
   (voi) ....

5. Fare *il bucato* a basse temperature.
   (tu) ....
   (Lei) ....
   (voi) ....

RIEPILOGO GRAMMATICALE

■■ *SI* IMPERSONALE/PASSIVANTE

Il pronome *si* è usato nelle forme impersonali quando il soggetto o l'agente è indefinito.
Si mangia *bene in questo ristorante marocchino!*

Spesso è usato per esprimere costumi, verità generali, regole condivise.
Si deve guardare a destra e a sinistra prima di attraversare la strada.
In Australia si guida a sinistra.

Quando il verbo ha un oggetto diretto con cui concorda, la costruzione è passiva, non impersonale, e quindi si parla di **si passivante**.
In estate **si beve molta acqua** *(passivante, con soggetto).*
In estate si beve molto (impersonale, nessun soggetto).

Il verbo concorda nel numero con l'oggetto diretto.
In questo negozio **si vende** *solo* **frutta** *biologica.*
In questo negozio **si vendono** *solo* **prodotti** *biologici.*

Nella costruzione *si + essere* + aggettivo quest'ultimo prende la desinenza del maschile plurale.
Si è *sempre più* **allegri** *quando splende il sole.*

L'aggettivo prende la desinenza del femminile solamente quando un nome femminile è esplicitamente espresso.
Quando si è bambine si è più sveglie dei coetanei.

L'uso del *si* passivante è possibile solo con verbi transitivi perché, come abbiamo appreso nell'Unità 8, i verbi intransitivi non hanno il passivo.
La particella *si* passivante normalmente precede il verbo ma può anche seguirlo, specialmente negli annunci pubblicitari e/o commerciali.
*Affitta**si** bilocale ammobiliato.*
*Cerca**si** tecnico specializzato.*
*Vende**si** bicicletta in ottime condizioni.*

Il pronome *si* non può essere sottinteso, deve sempre essere espresso.
Quando **si** *sta bene* **si** *è allegri e* **si** *è sempre di buon umore.*

Nei tempi composti si usa sempre l'ausiliare *essere*:
- *Di che cosa avete parlato ieri sera?*
- **Si** *è parlato di emigrazione.*

Quando il *si* impersonale/passivante è seguito da un verbo riflessivo si trasforma in *ci* per evitare la forma *si si*.
In estate **ci si** *alza più volentieri che in inverno.*
Ci si *vede sempre volentieri tra amici.*

Quando il *si* è seguito da un pronome diretto o dalla particella *ne* si trasforma in *se*.
In Italia si comprano molte macchine, **se ne** *comprano troppe.*
Mario si comprerà una nuova motocicletta, **se la** *comprerà il prossimo mese.*

■■IMPERATIVO

L'imperativo ha un solo tempo, il presente, le cui forme sono le seguenti.

	parlare	prendere	sentire	pulire
Tu	parla	prendi	senti	pulisci
Lei	parli	prenda	senta	pulisca
Noi	parliamo	prendiamo	sentiamo	puliamo
Voi	parlate	prendete	sentite	pulite
Loro	parlino	prendano	sentano	puliscano

Verbi irregolari

essere	**sii, sia, siamo, siate, siano**
avere	**abbi, abbia, abbiamo, abbiate, abbiano**
andare	**va', vada, andiamo, andate, vadano**
dare	**da', dia, diamo, date, diano**
dire	**di', dica, diciamo, dite, dicano**
fare	**fa', faccia, facciamo, fate, facciano**
rimanere	**rimani, rimanga, rimaniamo, rimanete, rimangano**
sapere	**sappi, sappia, sappiamo, sappiate, sappiano**
stare	**sta', stia, stiamo, state, stiano**
tenere	**tieni, tenga, teniamo, tenete, tengano**
uscire	**esci, esca, usciamo, uscite, escano**
venire	**vieni, venga, veniamo, venite, vengano**

L'**imperativo negativo** della II persona singolare (tu) si forma con *non* + il verbo all'infinito:
Non parlare *così in fretta!*
Non dire *bugie!*
Non uscire *stasera!*
Non dormire *sempre!*

I pronomi diretti e indiretti atoni seguono l'imperativo formando una sola parola con il verbo.
Angelo, prendi il caffè! ‹ *Prendi**lo**!*
ragazze, prendete gli ombrelli! ‹ *Prendete**li**!*
ragazzi, telefonate a Luigi! ‹ *Telefonate**gli**!*

Con le forme di cortesia Lei e Loro i pronomi diretti e indiretti atoni precedono l'imperativo rimanendo distinti dal verbo.
Signora, prenda il caffè! ‹ ***Lo** prenda!*
Signori, assaggino la mia torta! ‹ ***La** assaggino!*

In presenza di due pronomi, uno indiretto e uno diretto, quello diretto occupa l'ultima posizione.
*Ti consiglio di portarle dei fiori: porta**glieli**!*
*Vi ordino di fare a Luigi le vostre scuse: fate**gliele**!*
*Vi prego di ridarmi il mio diario: ridate**melo**!*
*Ti consiglio di restituire a me la mia bicicletta: restituisci**mela**!*

RIEPILOGO GRAMMATICALE

Le forme dell'imperativo monosillabiche (formate da una sola sillaba) unite a un pronome raddoppiano la prima consonante del pronome.
*Sta' vicino a lei: sta**ll**e vicino!*
*Da' a me un libro: da**mm**elo!*
*Fa' a me un piacere: fa**mm**elo!*

Usi dell'imperativo

L'imperativo è il modo del comando, esprime un ordine, una preghiera, un'esortazione.
***Togliti** di lì!*
***Passami** il pane, per favore!*
***Siate** più comprensivi!*

L'imperativo non presenta la prima persona singolare perché è raro che si diano ordini a se stessi; in caso contrario, si usa il verbo *dovere*.
***Devo** proprio sbrigarmi!*

Per impartire ordini relativi ad azioni da svolgersi in un futuro non proprio immediato, si utilizzano le voci verbali del futuro semplice indicativo.
*Per la fine dell'anno **dovrete prendervi** tutte le ferie!*

■■■PREPOSIZIONI

Su

- Stato in luogo.
  *Il libro **è sul tavolo**.*
  *Il cappello **è sull'armadio**.*

- Moto a luogo.
  ***Mettete** il libro **sul tavolo**, per favore.*
  ***Venite sul balcone**, è più fresco!*

- Direzione.
  *La finestra **dà sulla piazza**.*
  *La casa **si affaccia sul lago**.*

- Argomento.
  *I cittadini protestano **sul fatto che...***
  *In assemblea si discuterà **sui problemi** derivati dall'inquinamento.*

- Approssimazione.
  *Un signore **sulla sessantina**.*
  *Il danno si aggira **su un milione** di dollari.*

- Distribuzione.
  *Una donna **su tre** subisce violenze domestiche.*
  *Un bambino **su tre** non ha accesso all'acqua potabile.*

RIEPILOGO GRAMMATICALE

 **ESERCIZI**

1. **Completate il brano seguente inserendo il *si* impersonale/passivante seguito dal verbo indicato tra parentesi.**

Come si vive nelle città italiane

Secondo una ricerca del Censis in Italia (1) .... (vivere) meglio nelle province medio-piccole che in quelle grandi. Se (2) .... (cercare) casa, la città più cara è Milano dove, anche se il traffico è pesante, (3) .... (trovare) lavoro più facilmente.

Nelle province medio-piccole la burocrazia è più snella, il traffico sopportabile, la criminalità meno presente. A Piacenza una lettera (4) .... (recapitare) al tempo record di un giorno e mezzo, a Firenze (5) .... (dovere) aspettare una lettera cinque giorni e mezzo.

Il benessere maggiore (6) .... (trovare) in 14 aree del Nordest, dove (7) .... (registrare) la maggiore densità di occupazione e il maggior tasso di esportazione.

La città dove (8) .... (trovare) i più ricchi è Bergamo perché è quella nella quale (9) .... (risparmiare) di più.

All'estero le città in cui (10) .... (condurre) una vita quotidiana migliore sono Melbourne, Montreal e Manchester.

2. **Completate le frasi seguenti inserendo il *si* impersonale/passivante seguito dal verbo indicato tra parentesi.**

1. In Italia .... (produrre) molti vini di ottima qualità.

2. In Cina .... (buttare) giù le vecchie case per costruire palazzoni moderni.

3. Vicino a casa mia c'è un mercatino delle pulci dove .... (potere comprare) delle cose veramente a poco prezzo.

4. In pochi negozi in Italia .... (fare) sconti.

5. Le persone che parlano in modo chiaro .... (capire) sempre bene.

6. In Italia lo sport che .... (seguire) di più è senza dubbio il calcio.

7. In Inghilterra .... (rispettare) molto le tradizioni.

8. Firenze è una città molto turistica e .... (trovare) turisti in tutti i mesi dell'anno.

9. In pochi negozi ormai non .... (accettare) carte di credito.

10. Nella mia fabbrica .... (produrre) merci solo per l'esportazione.

RIEPILOGO GRAMMATICALE

3. Trasformate le frasi seguenti dalla forma impersonale a quella passiva apportando i cambiamenti necessari come nell'esempio.

*Esempio: A casa nostra **si consuma troppo** (impersonale).*
        *A casa nostra **si consuma troppa energia** (passivo: a casa nostra è consumata troppa energia).*

1. Dopo una malattia si scopre quanto sia bello vivere.
   ....
2. Si cerca disperatamente per ritrovare i resti dei passeggeri.
   ....
3. Nei paesi del Nord d'Europa si beve molto.
   ....
4. Nella vita si deve spesso cambiare.
   ....
5. In quel negozio si compra bene.
   ....

4. Completate le frasi seguenti inserendo l'imperativo del verbo indicato tra parentesi.

1. Uffa, Tonino è sempre in ritardo! – .... (tu, avere) un po' di pazienza, lo sai che è fatto così!
2. Non .... (noi, perdere) tempo in chiacchiere, ... (fare) qualcosa!
3. .... (voi, offrire) qualcosa da bere ai nostri amici!
4. .... (Lei, stare) tranquilla signora, faremo il possibile.
5. Per arrivare al duomo, ... (tu, prendere) la seconda strada a sinistra e poi la prima a destra.
6. .... (loro, fare) presto, signori, il treno sta per partire.
7. Se non vuoi ingrassare, non .... (mangiare) tanti dolci!
8. Signore .... (fare) la cortesia e .... (aspettare) in salotto.
9. Mi .... (Lei, dare) il suo cappotto e il cappello, per favore.
10. .... (voi, andare) avanti, io aspetto la mia amica.

5. Costruite delle frasi usando l'imperativo e i pronomi come nell'esempio.

Esempio: Non (comprare voi) prodotti imballati.
        Non comprateli!

1. (Rispettare, voi) sempre la fila!
   ....!

2. (Evitare, Lei) prodotti pubblicizzati!

   ....!

3. Non (investire, tu) soldi con banche che investono nell'industria bellica!

   ....!

4. Non (comprare, voi) cose nuove se non ne avete bisogno!

   ....!

5. (Tu, acquistare) prodotti del tuo paese!

   ....!

6. (Voi, leggere) sempre le etichette prima di comprare un prodotto!

   ....!

7. Non (tu, gettare) la carta nella spazzatura, (riciclare)!

   ....!

8. (Tu, spegnere) sempre le luci quando esci da una stanza!

   ....!

9. (Lei, usare) più spesso i mezzi pubblici!

   ....!

10. (Noi, prendiamo) la bicicletta per andare da Chiara!

   ....!

6. **Completate le frasi seguenti inserendo le preposizioni appropriate.**

1. Ci sono persone che passano la vita .... libri eppure ottengono scarsi risultati.
2. .... cima alla collina c'è una casetta circondata .... alberi.
3. Mi puoi prendere la borsa che è .... tavolino dell'entrata?
4. Io abito .... un'ora .... auto .... Milano.
5. .... piazza del mercato la settimana scorsa c'è stato un bellissimo spettacolo teatrale.
6. È un signore molto distinto .... cinquant'anni.
7. In molte città asiatiche la regola è l'assenza di regole .... circolazione e quindi si sorpassa dove c'è spazio.
8. Le locandine dei film filippini sono dipinte .... mano .... abili pittori il cui salario è basso, molto inferiore .... costo di una produzione industriale.
9. Le tre città europee più visitate .... italiani sono Parigi, Londra e Madrid.
10. Ieri sera ho ascoltato un dibattito molto interessante .... situazione politica del Marocco.

CONTENUTI

- Analizzare informazioni complesse sulla tematica della migrazione
- Argomentare sui diversi aspetti socio-culturali della migrazione

GRAMMATICA

- Concordanza nel passato
- Discorso diretto e indiretto

---

1. **Quali cause hanno spinto in passato molti italiani a lasciare l'Italia e quali inducono oggi altre genti a lasciare il proprio paese? Discutetene in piccoli gruppi e poi fatene un elenco alla lavagna.**

Italiani emigrati all'estero: 1861-1990				
Anni	**Europa**	**America del Nord***	**America del Sud***	**Oceania**
1861-1901	2.167.970	1.631.130	1.677.800	5490
1901-1930	4.394.028	4.495.920	2.091.659	48.536
1931-1960	2.360.925	622.554	688.249	231.337
1961-1990	3.170.622	506.418	49.854	157.278
Totale	**12.093.545**	**7.256.022**	**4.507.562**	**442.641**

* Mancano i dati del decennio 1861-1870　　　　　　　　　*Fonte: www.altreitalie.it*

2. **Leggete il seguente brano, quindi dite se siete d'accordo con quanto in esso affermato e motivate la vostra risposta.**

Le cause dell'emigrazione

L'aspirazione a migliorare le condizioni di vita per sé e per la propria famiglia, la determinazione a fuggire la povertà, la disoccupazione, la miseria derivante dalle guerre, le persecuzioni imposte dalle dittature continuano a essere, come in passato, le cause delle migrazioni di milioni di persone. Come ieri dall'Europa, oggi si emigra verso i paesi che offrono una più alta domanda di lavoro e maggiori possibilità di alimentarsi, curarsi, istruirsi, vivere lontano da violenze e sopraffazioni.

Gli italiani emigrati tra il 1870 e il 1980 sono stati complessivamente circa 27 milioni (di cui 3300 circa dal solo Veneto), quanti cioè ne contava la penisola al momento dell'unificazione politica del 1861.

3. TRACCIA 15 **Ascoltate due volte l'intervista a Rosi Lazzari, figlia di emigrati italiani in Australia, quindi disposti in piccoli gruppi rispondete alle domande.**

1. Perché i primi anni per i genitori di Rosi sono stati duri?

   ....

   ....

2. Avete mai sentito parlare di "matrimonio per procura"? Spiegate come funziona e quali sorprese possono verificarsi al momento dell'incontro della coppia.

   ....

   ....

3. Quando e perché Rosi e sua sorella si sentivano diverse dalle loro compagne di scuola?

   ....

   ....

4. Perché Rosi definisce il loro pic-nic come "un pranzo vero e proprio in sala da pranzo"?

   ....

5. Perché nella famiglia di Rosi non ci sono stati grandi problemi generazionali?

   ....

6. Rosi è contenta di essere un'italo-australiana? Perché?

   ....

   ....

4. **Scrivete tre frasi sull'importanza del cibo nella vostra cultura e su che cosa vi piace o non vi piace della cucina italiana. Pensate che sia importante mantenere le proprie usanze alimentari o sarebbe meglio adattarsi agli usi del paese ospite? Dove vivete, ci sono negozi in cui si possono comprare ingredienti "etnici"? Al termine dell'esercizio discutete in classe questi argomenti.**

1. ....

   ....

   ....

2. ....

   ....

   ....

3. ....

   ....

   ....

   ....

5. Disponetevi in coppie in modo che uno dei due legga la Parte 1 e l'altro la Parte 2 dell'intervista riportata di seguito; quindi, ciascuno riscriva la parte che ha letto usando il discorso indiretto; infine, riferite ciò che avete scritto al/alla compagno/a (prestate attenzione al cambiamento dei tempi verbali e dei pronomi!).

Parte 1

> **Intervistatore:** Quando sono emigrati i tuoi genitori?
>
> **Rosi:** I miei genitori sono emigrati in Australia negli anni 50. Prima è emigrato mio padre e dopo un paio d'anni ha sposato mia madre per procura… e dopo qualche mese lei l'ha raggiunto.
> Mio padre ha lavorato per qualche anno nella costruzione della ferrovia nel Queensland, un lavoro molto duro, lunghe ore di lavoro e molta solitudine; molti erano emigrati e non avevano una famiglia in Australia.
> Con l'arrivo di mia madre le cose per mio padre sono molto cambiate perché con i soldi che aveva messo da parte aveva comprato una casetta a Canberra e ha incominciato a lavorare lì. Dopo un paio di anni sono nata io e più tardi mia sorella. Mia madre faceva la sarta e lavorava a cottimo a casa per una ditta tessile, così poteva stare a casa e prendersi cura di noi bambine…

Parte 2

> **Intervistatore:** Ti sentivi diversa dalle tue compagne?
>
> **Rosi:** Non so se mi sentissi diversa, in fondo stavamo tutte bene insieme, solamente quando era l'ora del pranzo io e mia sorella ci sentivamo diverse perché quando aprivamo il nostro lunch-box… il cestino dove portavamo il pranzo, io e mia sorella avevamo degli enormi panini, le rosette con dentro del salame, del formaggio, a volte la cotoletta, mentre le altre, le anglosassoni, tiravano fuori i loro tramezzini con il *vegimite* o con il *peanut-butter*… sembravano così appetitosi ed eleganti!

Parte 1
L'intervistatore ha chiesto quando . . . .
. . . .

Rosi ha risposto che . . . .
. . . .
. . . .
. . . .
. . . .
. . . .

Parte 2
L'intervistatore ha domandato se . . . .
. . . .

Rosi ha risposto che . . . .
. . . .
. . . .
. . . .
. . . .

6. **Dopo una rapida lettura scegliete, fra i tre proposti, il titolo più adatto per l'articolo seguente e motivate la vostra scelta.**

Ero in treno, stavo andando a Milano per partecipare a una conferenza. Dovevo parlare della mia esperienza d'immigrato in Italia. Non ero molto convinto di quello che avevo scritto. Da che parte mi metto, mi chiedevo, dalla parte del cittadino africano o dalla parte di quello che mi considero veramente, un afro-parmigiano?

Di colpo, davanti a me si è seduto un ragazzo nero. Sto diventando come gli italiani, non so mai come dire: "di colore", "nero", "negro"? Per me alla fine non cambia niente. La cosa importante non è la parola ma il modo in cui si usa.

Il ragazzo poteva avere sedici anni. Aveva uno *skateboard* e indossava abiti sportivi. L'ho salutato con un sorriso e gli ho chiesto: "Ciao, tutto bene? Da dove vieni?". E lui: "Da Busseto". "Ah, ma di che origine?". "Mio padre è nigeriano". Per un attimo la sua risposta mi ha lasciato perplesso. "Sono di Busseto, mio padre è nigeriano". La sua affermazione era talmente naturale che non c'era più nulla da aggiungere. Lui non era nigeriano, forse neanche italiano, aveva una sola consapevolezza: era di Busseto. Anch'io qualche volta mi sento parmigiano: non italiano, parmigiano. Mi ricordo che dopo il primo anno di vita a Parma sono tornato in Burkina Faso. Ero stufo: due anni di clandestinità a Napoli e un anno come operaio a Parma avevano ridimensionato l'illusione del paradiso italiano. Avevo vissuto tante storie difficili e mi chiedevo se valesse la pena continuare. Stare con la mia famiglia forse mi avrebbe dato la tranquillità necessaria per capire meglio la situazione. E invece no, dopo quasi dieci giorni avevo nostalgia di un posto che fino a due settimane prima odiavo. Certe difficoltà le vedevo con altri occhi, con un po' di piacere e la sensazione di essere comunque riuscito a superare ostacoli importanti. Rivedevo diversamente anche Parma. Pensavo alle strade, alle facce delle persone, ai luoghi con desiderio. Ascoltando Tommy, così si chiamava, mi sono reso conto che era davvero di Busseto. Mi ha raccontato la sua storia, la sua vita, la scuola, gli amici. Mi ha parlato di suo padre, sempre in giro a fare affari, della casa che aveva costruito in Nigeria pensando anche a loro, e di lui che obiettava "ma la mia casa è a Busseto". Un mio amico eritreo mi ha detto una volta: "Noi siamo venuti per tornare. I nostri figli no, i nostri figli sono di qui".

Tratto da "Internazionale" n. 695, 1 giugno 2007.

1. ■ *Sono di Busseto*   2. ■ *Con un piede in due scarpe*   3. ■ *Non sappiamo più chi siamo*

Motivazione . . . .

7. **Leggete di nuovo l'articolo proposto nell'esercizio 6 e discutete in classe sull'affermazione "Noi siamo venuti per tornare. I nostri figli no, i nostri figli sono di qui". Siete d'accordo?**

8. **Con l'aiuto della traccia proposta, fate un breve riassunto in terza persona dell'articolo proposto nell'esercizio 6, quindi confrontate il vostro lavoro con quelli del resto della classe.**

Un signore era in treno, stava andando . . . .

D'un tratto davanti a lui . . . .
. . . .
Il signore gli ha chiesto . . . .
. . . .
La risposta del ragazzo gli ha fatto ricordare quando . . . .
. . . .

9. **Leggete il testo seguente e scegliete la risposta corretta.**

" A volte devo sforzarmi per notare la pelle di mio marito che è nera". Così, sorridendo Anna-maria ci spiega come il colore della pelle di suo marito non sia affatto un problema, infat-ti il più delle volte non si ricorda neanche che lui non è un bianco; lui è keniota e si chiama Njenga; si sono conosciuti tre anni fa e sono sposati da due anni. "Quando ci siamo conosciuti, a una festa a casa di amici, lui mi era sembrato molto triste e pensieroso così gli sono andata vici-no e ho incominciato a parlargli. Poi alla fine della serata gli ho lasciato il mio numero di telefono e ricordo di avergli detto che, se voleva parlare un po' con me avrebbe potuto chiamarmi. Quando mi ha telefonato, dopo due giorni, siamo usciti. Così è incominciata la nostra storia".

Per loro i problemi non sono mancati ma sono sempre nati dall'esterno e non dalle possibili diver-sità culturali.

Le difficoltà le ha create dapprima la burocrazia italiana. "Tutti i miei documenti" ricorda Njenga "era-no in inglese, una lingua che dovrebbe essere internazionale ormai, tuttavia non andavano bene: dove-vano essere tradotti in italiano e la traduzione avrebbe dovuto essere fatta dall'ambasciata italiana in Kenia. Fortunatamente, ci ha aiutato un funzionario disponibile, però il nostro rapporto con la buro-crazia italiana non è finito perché sono ancora in attesa della cittadinanza italiana nonostante io sia sposato con Annmaria da due anni e il periodo richiesto dalla legge sia di sei mesi".

Nei confronti di Annamaria non sono mancati i commenti e le domande di vicini di casa e colleghi di lavoro: "Alcuni mi chiedevano se era un clandestino, altri se lavorava in nero, alcuni mi mettevano in guardia, nel caso lui volesse usarmi per ottenere un visto. In verità Njenga è diplomato anche se ora lavora in fabbrica e il suo sogno è di iscriversi all'università *part-time* per diventare ingegnere".

E in famiglia che cos'è successo? Come hanno accolto i genitori di Njenga e di Annamaria la loro relazione? "Io vivo lontana dai miei da tanto tempo e la prima volta che ho parlato loro di Njenga l'ho fatto per lettera. Non per mancanza di coraggio, ma perché potevo co-sì spiegare meglio che cosa provavo per lui, e poi i miei genitori mi conoscono troppo bene e sanno benissi-mo che non avrebbero mai potuto farmi cambiare idea. Comunque, almeno in apparenza, sembrano aver accettato la mia scelta.

Anche i genitori di Njenga all'inizio non erano entu-siasti ma poi mi hanno conosciuta e mi hanno ac-cettata, con tutto il loro affetto, con il cuore – racconta Annamaria –. Sono stata un mese in Kenia con loro e ho scoperto un mondo molto bello, dove forse potrei vivere serena".

1. ◼ a. Annamaria ha delle difficoltà con Njenga perché le loro culture sono troppo diverse.
   ◼ b. Annamaria pensa che il colore della pelle del marito non sia un fattore importante.
   ◼ c. Annamaria ha deciso di sposare Njaenga perché a lui piace molto ballare e fa-re baldoria.

2. ◼ a. Njenga dopo due anni di matrimonio non è ancora cittadino italiano.
   ◼ b. Njenga ha avuto problemi perché non aveva i documenti.
   ◼ c. Njenga ha dovuto aspettare sei mesi per sposarsi.

3. ◼ a. I genitori di Annamaria hanno cercato di impedire il suo matrimonio con Njenga.
   ◼ b. Annamaria non aveva il coraggio di raccontare ai suoi genitori della sua rela-zione con Njenga.
   ◼ c. I genitori di Annamaria sembrano aver accettato il suo matrimonio con Njenga.

4. ■ a. Njenga è un ingegnere ma lavora come operaio.
   ■ b. Njenga ha finito le scuole superiori in Kenia.
   ■ c. Njenga vorrebbe prendere il diploma in Italia.

5. ■ a. La famiglia di Njenga è stata subito entusiasta della scelta del figlio.
   ■ b. La famiglia di Njenga ha accettato Annamaria con affetto dopo averla conosciuta.
   ■ c. la famiglia di Njenga ha passato un mese in Italia con Annamaria.

10. **Leggete il brano seguente, tratto dal racconto proposto nell'esercizio 9, e lavorando in piccoli gruppi inserite nella tabella le parole evidenziate in corsivo in corrispondenza della loro funzione nel testo come nell'esempio.**

"A volte devo sforzarmi per notare la pelle di mio marito che è nera". *Così*, sorridendo Annamaria ci spiega *come* il colore della pelle di suo marito non sia affatto un problema, *infatti* il più delle volte non si ricorda neanche che lui non sia un bianco; lui è keniota e si chiama Njenga; si sono conosciuti tre anni fa e sono sposati da due anni. "*Quando* ci siamo conosciuti, a una festa a casa di amici, lui mi era sembrato molto triste e pensieroso *così* gli sono andata vicino e ho incominciato a parlargli. *Poi* alla fine della serata gli ho lasciato il mio numero di telefono e ricordo di avergli detto che, *se* voleva parlare un po' con me avrebbe potuto chiamarmi. *Quando* mi ha telefonato, dopo due giorni, siamo usciti. *Così* è cominciata la nostra storia".
Per loro i problemi non sono mancati *ma* sono sempre nati dall'esterno e non dalle possibili diversità culturali.
Le difficoltà le ha create *dapprima* la burocrazia italiana. "Tutti i miei documenti – ricorda Njenga – erano in inglese, una lingua che dovrebbe essere internazionale ormai, *tuttavia* non andavano bene: dovevano essere tradotti in italiano *e* la traduzione avrebbe dovuto essere fatta dall'ambasciata italiana in Kenia. Fortunatamente, ci ha aiutato un funzionario disponibile, *però* il nostro rapporto con la burocrazia italiana non è finito perché sono ancora in attesa della cittadinanza italiana *nonostante* io sia sposato con Annmaria da due anni *e* il periodo richiesto dalla legge sia di sei mesi".

Esempio: Indica che un'azione si svolge in un momento precedente rispetto a un'altra.	*quando, prima*
1. Unisce due frasi senza aggiungere significato alla loro relazione.	
2. Introduce un'informazione in contrapposizione con un'altra fornita in precedenza.	
3. Serve per concludere, per esprimere un effetto di qualcosa affermato in precedenza.	
4. Esprime la condizione necessaria affinché un'azione si realizzi.	
5. Introduce un'azione che si svolge di seguito.	
6. Serve per spiegare la causa di un'azione.	
7. Esprime il mancato verificarsi di qualcosa che invece avrebbe dovuto succedere.	
8. Serve per dare una prova di quanto affermato in precedenza.	
9. Esprime il modo in cui si verifica qualcosa.	

11. Abbinate a ciascuna parola ed espressione (tratte dall'articolo proposto nell'esercizio 12) il sinonimo (cioè una parola o un'espressione avente lo stesso significato) corretto.

1.	Mezzogiorno	a.	Si sono organizzate
2.	Tracollo	b.	Italiano/a
3.	Si affanna	c.	Veneto, Friuli e Trentino
4.	Si sono attrezzate	d.	Regioni del Sud-Italia
5.	Stagionali	e.	Rovina
6.	Pendolarismo	f.	Spostamento regolare da un luogo a un altro per motivi di lavoro
7.	Tricolore	g.	Della durata di una stagione
8.	Triveneto	h.	Usa molte energie

12. Riordinate le parti del seguente articolo in modo da ricostruirne il testo (sono possibili ricostruzioni diverse).

a. ROMA – Senza immigrati, l'economia sarebbe al crollo. Secondo il rapporto della Società geografica, a tenere in piedi l'economia italiana sono i tre milioni di immigrati. Dalle mortadelle modenesi al pomodoro foggiano, alle mozzarelle di bufala nel napoletano, il *made in Italy* non può fare a meno della manodopera d'oltreconfine.

b. Così si scopre che gli "stagionali" si configurano come elemento indispensabile dell'andamento dell'agricoltura tricolore: ne è una riprova la recente crisi del tabacco casertano, la cui prima raccolta è quasi del tutto andata persa per mancanza di manodopera.

c. "Interi settori della nostra economia dipendono da questa presenza" – osserva Pasquale Coppola, coordinatore di questa ricerca –. In Campania, per esempio, dove i cittadini indiani, i Sik, allevano i bufali come nessuno al mondo e si alzano alle 4 del mattino per mungerli.

d. Soprattutto nel Nord-est, la gran parte delle piccole imprese si regge sui lavoratori stranieri. Tanto è consistente la presenza di immigrati nel mondo del lavoro che le assunzioni degli stranieri raggiungono ora il 12% del totale.

e. "O nelle concerie di Arsignano, in provincia di Vicenza, dove la manodopera immigrata è la principale presenza lavorativa".

f. Il Mezzogiorno è territorio di transito. Nelle regioni del Nord, invece, gli stranieri hanno maggiori opportunità. Esiste un forte pendolarismo, poi, fra zone che offrono opportunità d'impiego e altre aree territoriali. Mentre lo Stato si affanna a contare gli stranieri, considerandoli soprattutto un problema di ordine pubblico – rileva il rapporto –, le economie locali si sono attrezzate per usare e anche per sfruttare la novità immigratoria.

g. Per gli autori del rapporto, però, manca nella penisola una politica centrale dell'integrazione. "Lo spazio delle frontiere – evidenziano – non si può contenere, sia per l'incidenza demografica sia per le pressioni dei paesi in via di sviluppo sia per gli spostamenti di capitale".

h. Allo stesso tempo il fitto tessuto di piccole e medie imprese del Triveneto non solo attinge sempre più forza-lavoro straniera ma apre nuove frontiere di internazionalizzazione, orientando le produzioni verso l'Est europeo.

LAVORIAMO₀SULLA LINGUA

13. Trasformate le affermazioni in forma diretta di Annamaria, tratte dal racconto proposto nell'esercizio 9, nella forma del discorso indiretto in terza persona come nell'esempio (usate le espressioni *ha detto*, *ha dichiarato*, *ha affermato*, *ha aggiunto*, *ha risposto*, *ha spiegato*).

Esempio: "A volte devo sforzarmi per notare la pelle di mio marito che è nera".
Annamaria ha dichiarato che a volte deve sforzarsi per notare la pelle di suo marito, che è nera.

1. "Quando ci siamo conosciuti, a una festa a casa di amici, lui mi era sembrato molto triste e pensieroso così gli sono andata vicino e ho incominciato a parlargli. Poi alla fine della serata gli ho lasciato il mio numero di telefono e ricordo di avergli detto che, se voleva parlare un po' con me avrebbe potuto chiamarmi. Quando mi ha telefonato, dopo due giorni, siamo usciti. Così è incominciata la nostra storia".

. . . .

2. "Tutti i miei documenti" ricorda Njenga "erano in inglese, una lingua che dovrebbe essere internazionale ormai, tuttavia non andavano bene: dovevano essere tradotti in italiano e la traduzione avrebbe dovuto essere fatta dall'ambasciata italiana in Kenia. Fortunatamente, ci ha aiutato un funzionario disponibile, però il nostro rapporto con la burocrazia italiana non è finito perché sono ancora in attesa della cittadinanza italiana nonostante io sia sposato con Annmaria da due anni e il periodo richiesto dalla legge sia di sei mesi".

. . . .

3. "Alcuni mi chiedevano se era un clandestino, altri se lavorava in nero, alcuni mi mettevano in guardia, nel caso lui volesse usarmi per ottenere un visto. In verità Njenga è diplomato anche se ora lavora in fabbrica e il suo sogno è di iscriversi all'università *part-time* per diventare ingegnere".

. . . .

4. "Io vivo lontana dai miei da tanto tempo e la prima volta che ho parlato loro di Njenga l'ho fatto per lettera. Non per mancanza di coraggio, ma perché potevo così spiegare meglio che cosa provavo per lui, e poi i miei genitori mi conoscono troppo bene e sanno benissimo che non avrebbero mai potuto farmi cambiare idea. Comunque, almeno in apparenza, sembrano aver accettato la mia scelta.
Anche i genitori di Njenga all'inizio non erano entusiasti ma poi mi hanno conosciuta e mi hanno accettata, con tutto il loro affetto, con il cuore".

. . . .
. . . .
. . . .
. . . .
. . . .
. . . .

5. "Sono stata un mese in Kenia con loro e ho scoperto un mondo molto bello, dove forse potrei vivere serena".

. . . .
. . . .
. . . .
. . . .
. . . .
. . . .

14. Trasformate le seguenti affermazioni nella forma del discorso indiretto come nell'esempio.

Esempio: Maria ha detto a Marco: "Alzati che devi partire!".
a. Maria ha detto a Marco di alzarsi che doveva partire.
b. Maria ha detto a Marco che si alzasse che doveva partire.

1. Mary ha urlato al bambino: "Attento, sta arrivando una macchina!".
   a. . . . .
   b. . . . .

2. Giovanni suggerisce al suo amico: "Torna nel tuo paese in vacanza, tuo padre è già anziano!".
   a. . . . .
   b. . . . .

3. Prima di partire mio padre mi ha detto: "Vattene da questa terra dannata ma non dimenticarla!".
   a. . . . .
   b. . . . .

4. Mia madre ci ha sempre detto: "Imparate questa lingua straniera ma con me parlate sempre la nostra!".
   a. . . . .
   b. . . . .

5. Mjriam mi ha consigliato: "Per il mio matrimonio, vestiti in modo semplice!".
   a. . . . .
   b. . . . .

6. I nostri amici si sono sempre raccomandati: "Non venite a trovarci in India in gennaio, è la stagione dei monsoni!".
   a. ....
   b. ....

7. Antonio dice a Mario: "Lasciamola tranquilla, ha fatto un lungo viaggio e stanotte ha dormito poco".
   a. ....
   b. ....

8. La mia amica mi ha consigliato: "Lascia perdere quel ragazzo, non è molto affidabile!".
   a. ....
   b. ....

15. **Completate le frasi seguenti inserendo i connettivi opportuni scegliendo tra quelli elencati di seguito.**

> **concessivi:** *anche se* • *nonostante che* • *benché* **causali:** *perché* • *poiché* • *siccome*
> **finali:** *perché* • *affinché* • *per* **temporali:** *finché* • *dopo che* • *prima che*
> **modali:** *come se* **eccettuatuvi:** *a meno che* **dichiarativi:** *infatti*
> **conclusivi:** *quindi* • *perciò* • *così* • *allora*

1. Non vi ho telefonato .... non avevo nessuna nuova notizia da darvi.
2. Non mi stancherò mai di ripetere .... avrò voce che i genitori devono parlare la loro lingua con i figli.
3. Qualcuno ha scritto un biglietto a Marta .... scoprisse la verità su suo marito.
4. Maria non mi ha chiamato .... non mi preoccupassi del suo ricovero in ospedale.
5. Hanno consultato un loro amico in Marocco .... investisse i loro risparmi in quel paese.
6. .... non ci sarà giustizia sociale in molti paesi del mondo, non si risolveranno molti problemi di sicurezza.
7. .... le avessi consigliato di non partire con quella compagnia aerea, lo ha fatto lo stesso.
8. Mi ha guardato .... non mi vedesse.
9. L'ho invitata al mio compleanno .... non mi è molto simpatica.
10. Uscirò .... ho finito tutto il lavoro che mi sono portata a casa dall'ufficio.
11. Ti aspettiamo .... tu non voglia raggiungerci con la tua moto più tardi.
12. C'è molta intolleranza verso gli immigrati .... sia comprovato che sono indispensabili per l'economia del paese.
13. Non te lo voglio più ripetere, ... ascoltami con molta attenzione.
14. Tutti dicevano che la loro relazione non sarebbe durata, ... dopo un anno si sono separati.
15. Ieri al lavoro ero molto stanca .... la notte prima avevo dormito poco.
16. .... ho conosciuto Kennet non pensavo proprio che avrei lasciato il mio paese e la mia vita sarebbe cambiata così tanto.

RIEPILOGO GRAMMATICALE

■■ DISCORSO DIRETTO E DISCORSO INDIRETTO

Si usa il **discorso diretto** quando si riferisce, parola per parola, che cosa è stato detto da una persona. In questo caso, le virgolette indicano ciò che viene fedelmente riportato.

Mjriam mi ha detto: "Vengo a casa tua alle otto".

Si usa il **discorso indiretto** quando si riferisce indirettamente che cosa è stato detto da una persona; in questo caso devono essere effettuati i cambiamenti seguenti.

1. Scompaiono i due punti e le virgolette.
   Michela dice: "Torno subito". ‹ Michela dice che torna subito.

2. Cambia la persona del verbo, dei pronomi personali, degli aggettivi e pronomi possessivi.
   *Maria mi dice: "Io non vengo a casa **tua**". ‹ Maria mi dice che non viene a casa **mia**.*
   *Mario mi chiede: "Vieni con **noi**?" ‹ Mario mi chiede se vado con **loro**.*
   *Luis e Mario ci chiedono: "Venite anche **voi**?" ‹ Luis e Mario mi chiedono se andiamo anche **noi**.*

3. Cambiano le espressioni che indicano tempo e luogo:

qui	‹ lì
qua	‹ là
ora	‹ allora
oggi	‹ quel giorno
ieri	‹ il giorno prima/antecedente
domani	‹ il giorno dopo/successivo/seguente
l'anno scorso	‹ l'anno precedente/prima
prossimo	‹ seguente/dopo/successivo
un anno fa	‹ un anno prima
fra un mese	‹ dopo/entro un mese
venire	‹ andare

   *Mary dice: "**Domani** parto per la Tunisia". ‹ Mary dice che **il giorno successivo** parte/partirà per la Tunisia.*
   *Mentre ero in cucina Paola mi disse: "**Qui** non possiamo stare, fa troppo caldo". ‹ Mentre ero in cucina Paola mi disse che **lì** non potevamo stare perché faceva troppo caldo".*

4. Cambiano gli aggettivi e pronomi dimostrativi.
   *Michela mi ha detto: "Questo piatto non **mi** piace". ‹ Michela mi ha detto che quel piatto non **le** piaceva.*

5. Cambiano i tempi e i modi dei verbi se nella frase principale il verbo è al passato.

145

Discorso diretto	Discorso indiretto
Presente indicativo o congiuntivo _Maria disse: "Credo che Luis sia tornato"._	**Imperfetto indicativo o congiuntivo** _Maria disse che credeva che Luis fosse Tornato._
Futuro e condizionale semplice _Luigi disse: "So che Maria verrà domani"._	**Condizionale passato** _Luigi disse che sapeva che Maria sarebbe venuta il giorno dopo._
Passato prossimo, passato remoto _Mi disse: "Mi sono sposata nel 1974"._	**Trapassato prossimo** _Mi disse che si era sposata nel 1974._
Congiuntivo passato _Mi disse: "Credo che Martin abbia già fatto le valigie"._	**Congiuntivo trapassato** _Mi disse che credeva che Martin avesse già fatto le valigie._
Imperativo _Luisa le disse: "Siediti e bevi un bicchier d'acqua"._	**_Di_ + indefinito** _Luisa le disse di sedersi e di bere un bicchiere d'acqua._
Periodo ipotetico del I e del II tipo _Ci disse: "Se domani farà bello, andremo al mare"._	**Periodo ipotetico del III tipo** _Ci disse che se il giorno dopo avesse fatto bello sarebbero andati al mare._

N.B.
Non cambiano l'imperfeto indicativo o congiuntivo.
Mi disse: "Pensavo che tu fossi argentina". ‹ Mi disse che pensava che io fossi argentina.

■■CONNETTIVI CHE METTONO IN RELAZIONE UNA FRASE PRINCIPALE CON UNA SECONDARIA (SUBORDINATA)

Concessivi
Indicano il mancato verificarsi di un evento che avrebbe dovuto verificarsi a seguito di qualcosa.
Faceva freddo / sono rimasta in casa. ‹ **Sebbene** facesse freddo, non sono rimasta in casa.

Nonostante, **sebbene**, **benché**, **malgrado**, **per quanto**, **quantunque** (formale) si usano con il congiuntivo, **anche se** non richiede il congiuntivo.
**Anche se faceva** freddo, non sono rimasta in casa.

Temporali
Indicano il momento in cui si verifica un evento.
Vogliamo tornare **prima che diventi** buio.
Volevamo salutarla **prima che partisse**.

Prima che si usa con il congiuntivo presente e imperfetto. **Quando**, **da quando**, **mentre**, **appena che**, **dopo che**, **fin tanto che** si usano con l'indicativo.
**Mentre** andavo al lavoro, **ho incontrato** Luis.
Telefono a Mary **dopo che ho pulito** la casa.

Condizionali
Introducono una condizione, un limite al realizzarsi dell'azione espressa dal verbo della frase principale.
A condizione che, a patto che, ammesso che, purché, qualora (formale) si

usano con il congiuntivo, **se** si usa con l'indicativo quando si esprime un'ipotesi reale.

*Gli ho raccontato tutto **a condizione che** non lo **dicesse** a nessuno.*
*Puoi venire con noi **a patto che** tua figlia non **faccia** i capricci.*
***Se fa** freddo, accendo il riscaldamento.*

Modali
Indicano il modo in cui si svolge un'azione.
Come se, come, quasi, nel modo che si usano con l'indicativo se si esprime un fatto certo.
*Si e vestita per la cena **come** non **aveva** mai fatto prima.*
*Ha agito **nel modo che riteneva** più opportuno.*

Come se, quasi si usano con con il congiuntivo se si esprime un fatto irreale, ipotetico.
*Non mi ha salutato, **come se** non **esistessi**.*
*Non ha mai più visto Maria, **quasi fosse sparita** dalla faccia della terra.*

Finali
Indicano lo scopo, il fine per cui si svolge l'azione della frase principale.
Perché, affinché, così che (cosicché), allo scopo che, in modo che si usano con il congiuntivo.
*Ti dico questo **affinché tu possa** fare il possibile per aiutarla.*
*Ho dato lezioni a Maius **perché potesse** essere promosso.*

Eccettuativi
Indicano un'eccezione, una circostanza che limita il significato della frase principale.
Fuorché, a meno che, tranne che, eccetto che, salvo che si usano con il congiuntivo.
*Verrò presto a trovarti **salvo che non si ammali** qualche collega al lavoro.*
***A meno che tu non mi dica** tutta la verità, non ti potrò aiutare.*

Sennonché (se non che) si usa con l'indicativo.
*Sarei partita subito **se non che mi sono ammalata**.*

Causali
Indicano la causa, il motivo dell'azione svoltasi nella frase principale.
Perché, poiché, siccome, visto che, per il fatto che, dal momento che si usano con l'indicativo.
*Non vengo alla festa **perché sono** molto stanco.*
***Siccome ho** pochi soldi non vado in vacanza quest'anno.*

■■ CONNETTIVI CHE METTONO IN RELAZIONE DUE FRASI COORDINATE

Conclusivi
Indicano una conclusione, esprimono una conseguenza.
Quindi, così, allora, perciò, per cui, pertanto, dunque, ebbene, per questo, di conseguenza.
*Abbiamo visto la luce accesa, **quindi** abbiamo pensato che fossi in casa.*
*Hai rotto il vaso, **di conseguenza** lo devi ricomprare.*

Avversativi

Introducono un contrasto, qualcosa di inaspettato.
Ma, però, eppure, tuttavia (formale).
*Luis è di Buenos Aires **ma** vive in Italia da molti anni.*
*Bevo molti caffè al giorno **però** non dovrei perché mi fanno male.*
*Capisco dove vuoi arrivare, **eppure** le tue spiegazioni non mi convincono.*

Copulativi

Servono per aggiungere a una frase un'altra frase (o più frasi).
E, anche, non ... neanche, inoltre (formale).
*È venuto a trovarci **e** ci ha portato un bellissimo regalo.*
***Non** ci ha avvisato della sua partenza e non si è **neanche** più fatto sentire.*

■■ESERCIZI

1. Riscrivete le frasi seguenti nella forma del discorso indiretto.

1. La mamma ci ordinò: "Per favore non fate rumore".
   ....

2. Lucy mi ha chiesto al telefono: "Quando torni a Roma?".
   ....

3. Mio padre ci ha detto: "Ieri sono andato in centro e ho incontrato un mio vecchio amico".
   ....

4. La professoressa ieri ci ha detto: "Domani faremo esercitazioni sull'imperativo".
   ....

5. La madre di Maria le ha chiesto: "Perché non sei andata a scuola?".
   ....

6. Il medico mi ha detto: "La sua malattia non è grave".
   ....

7. La signora ci ha avvertito: "Fate attenzione al mio cane perché morde".
   ....

8. La mia amica mi ha chiesto: "Ti interesserebbe un lavoro *part-time*?".
   ....

9. Alla posta ho domandato: "Dove sono i moduli per una raccomandata?".
   ....

10. Mjriam ha urlato: "Attenta alla motocicletta!".
    ....

2. Riscrivete le frasi seguenti nella forma del discorso diretto

1. Mio marito mi disse che sarebbe tornato tardi.

   ....

2. Al momento dei saluti ho chiesto a Maja quando sarebbe tornata in Italia.

   ....

3. L'insegnante mi chiese di parlare al mio amico e di convincerlo a frequentare il corso di italiano.

   ....

4. All'uscita, dopo il concerto ho chiesto al mio amico come gli era sembrato il gruppo.

   ....

5. Prima di uscire ho chiesto a mio padre se dovevo comprargli qualche cosa.

   ....

6. Il ministro delle Finanze ha detto in un'intervista che bisognava ridurre la spesa pubblica.

   ....

7. La mia migliore amica mi chiese di non dire niente a nessuno di ciò che mi aveva raccontato.

   ....

8. Giovanni ha detto più di una volta di non poterne più del suo lavoro.

   ....

9. Le associazioni degli immigrati hanno detto di volere il diritto al voto amministrativo.

   ....

10. Ho chiesto ai miei studenti se c'era qualcuno che sapesse suonare uno strumento.

    ....

3. Trasformate i seguenti discorsi diretti in discorsi indiretti introdotti da *ha detto, disse*.

1. "Sono stato a Parigi e andrò anche a Berlino".

   ....

2. "Credevo arrivasse in treno, non in aereo".

   ....

3. "È meglio preparare il pranzo prima che arrivino i nostri amici".

   ....

4. "Appena posso, comprerò una bicicletta a mia sorella".

   ....

5. "Sono stata al mare perché il sole e l'acqua salata mi fanno molto bene alle spalle".

   ....

6. "In due soli mesi mi sembra strano che tu abbia imparato così bene l'italiano".

   ....

RIEPILOGO GRAMMATICALE

7. "Preferisco prendere il treno, non mi piace usare la macchina".

....

8. "Sono molto stanco, faccio una doccia e vado subito a letto".

....

9. "Secondo me è colpa tua: dovevi dirgli la verità da subito".

....

10. "Maria non sta bene e non potrà venire alla tua festa di compleanno".

....

4. Trasformate i seguenti discorsi diretti in discorsi indiretti introdotti da *ha detto, aveva detto, disse*.

1. "Ragazze, preparatevi, partiamo!"

....

2. "Non andare via, resta ancora un po'!"

....

3. "Per favore, abbassate il volume della musica, è già mezzanotte!"

....

4. "Venga nel mio ufficio!"

....

5. "La mia casa è sempre aperta a tutti i miei amici!"

5. Completate le frasi seguenti inserendo i connettivi appropriati scegliendo tra quelli elencati (non è necessario utilizzarli tutti).

sebbene • nonostante • anche se • benché • affinché • perché • a patto che • purché • prima che • eccetto che • ma • anche • neanche • quindi • così

1. Voglio salutare i miei amici .... partano.
2. L'anno scorso sono stata in Turchia .... facesse molto caldo, sono stata benissimo!
3. Va bene, verrò con voi .... non facciamo troppo tardi.
4. Ti ho detto tutto quello che avevo da dire .... ora lasciami in pace!
5. Non ho con me l'indirizzo di Maria e .... a farlo apposta ho dimenticato anche l'agendina.
6. Va bene, puoi venire con noi .... tu non faccia sempre il cretino con tutte le ragazze!
7. Ci sembrava una persona molto simpatica .... ci eravamo sbagliati tutti.
8. Maria è un'incosciente, continua a fumare un pacchetto di sigarette al giorno .... aspetti un bambino.
9. Io te l'ho raccontato .... non lo dicessi a nessuno.
10. Gli ho detto come stanno le cose nella nostra ditta .... fosse informato dei rischi.

SOLUZIONI DEGLI ESERCIZI

TEMA 1
Il lavoro

Unità 1
Lavorare... che fatica!

Esercizio 2
1e; 2i; 3b; 4a; 5f; 6d; 7g; 8c; 9h

Esercizio 3
1a; 2f; 3g; 4b; 5d; 6c; 7e

Esercizio 4
1. caporeparto; 2. cartellino; 3. stipendio; 4. a termine; 5. in proprio; 6. pensione; 7. busta paga; 8. ferie; 9. turni; 10. personale

Esercizio 5
Stefania: Ciao Narinder, quanto tempo!
Narinder: Ciao Stefania, che bello vederti di nuovo.
Stefania: Cosa fai da queste parti?
Narinder: Sono appena uscita dal lavoro.
Stefania: Come dal lavoro? Non lavoravi fuori città?
Narinder: Eh, mi hanno licenziata, sai avevo un contratto a termine. Alla scadenza non me lo hanno rinnovato. *maturity*
Stefania: Però te lo avevano rinnovato già due volte!
Narinder: Eh lo so. Comunque ho trovato un lavoretto. Lavoro alcune ore alla settimana per una scuola materna qui in città. Ho un contratto di collaborazione come media- *Social mediator for immigrants*
trice culturale e mi piace.
Stefania: Ma cosa fai di preciso, insegni?
Narinder: Beh, non proprio, aiuto le insegnan- ti e i genitori immigrati a comunicare me- glio, cioè aiuto la scuola a capire il mio paese e la famiglia a conoscere la scuola. E tu, sei sempre in pasticceria?
Stefania: Sì, il solito lavoraccio. *slog* Mi alzo sem- pre presto e sto in piedi tutto il giorno, vor- rei trovare un altro lavoro, però un altro la- voro a tempo indeterminato dove lo trovo? Va beh, lasciamo stare, che ne dici di un caffè?
Narinder: Dai andiamo al bar che c'è proprio...

Esercizio 6
Stefania e Narinder sono due amiche che non si vedono da **tempo**. Narinder non lavora più fuori città perché è stata **licenziata**, adesso la- vora in una **scuola** materna. Il nuovo lavoro le piace molto, lavora come **mediatrice culturale**. Stefania invece fa sempre il solito **lavoraccio** in pasticceria. Non le piace, ma è contenta per- ché ha un contratto **a tempo indeterminato**. *permanent contract*

Esercizio 7
1. lavoretto; 2. lavoretti; 3. lavoraccio; 4. lavo- raccio; 5. lavoraccio

Esercizio 10
1. lavoro temporaneo; 2. formazione lavoro; 3. *part-time*; 4. apprendistato

Esercizio 11e
1b; 2a; 3a; 4a

LAVORIAMO SULLA LINGUA

Esercizio 12

Femminile	Maschile
La maestra	Il maestro
L'insegnante	**L'insegnante**
La commerciante	Il commerciante
La collega	**Il collega**
La fotografa	**Il fotografo**
L'infermiera	**L'infermiere**
La pasticcera	Il pasticciere
La dentista	**Il dentista**
La custode	Il custode
La ragioniera	Il ragioniere
L'autista	L'autista
La camionista	Il camionista
La preside	Il preside
La direttrice	**Il direttore**
La pittrice	**Il pittore**
L'impiegata	L'impiegato
La presidente	Il presidente
L'elettricista	L'elettricista
La ricercatrice	Il ricercatore
La giornalista	**Il giornalista**

Esercizio 13
collaborare: collaboratore/collaboratrice; *leg- gere*: lettore/lettrice; *insegnare*: insegnante;

vendere: venditore/venditrice; *cantare*: cantante; *tornire*: tornitore/tornitrice; *giocare*: giocatore/giocatrice; *commerciare*: commerciante; *scrivere*: scrittore/scrittrice; *dirigere*: direttore/direttrice, dirigente; *agire*: agente; *lavorare*: lavoratore/lavoratrice; *amministrare*: amministratore/amministratrice

Esercizio 14

turno: turnista; *posta*: postino/postina; *auto*: autista; *parrucca*: parrucchiere/parrucchiera; *macello*: macellaio/macellaia; *macchina*: macchinista; *fuoco*: fochista; *dente*: dentista; *giornale*: giornalista; *barba*: barbiere; *forno*: fornaio/fornaia; *tabacco*: tabaccaio/tabaccaia

Esercizio 15

1. questi; 2. scorso, spariti; 3. disoccupato, italiane, straniere, precari; 4. alta, giovanile

Esercizio 16

1. lavorava; 2. era; 3. serviva; 4. erano; 5. si é licenziato; 6. capiva/ha capito; 7. diceva; 8. piaceva; 9. era; 10. mancavano; 11. erano; 12. si rifiutava; 13. si alzava; 14. tornava; 15. ha deciso; 16. è uscito; 17. ha seguito; 18. volete; 19. ha scoperto; 20. si era iscritto; 21. andava; 22. hai detto; 23. hanno chiesto; 24. volevo; 25. avevo; 26. sapete; 27. sono andato; 28. posso

■■■RIEPILOGO GRAMMATICALE

Esercizio 1

1. sono arrivato, c'era, ho dovuto; 2. hai telefonato, ha risposto, dormivo, era; 3. sentivi, potevi; 4. è rimasto; 5. usciva; 6. ha studiato; 7. vivevo, dovevo; 8. ho saputo, eri; 9. sono entrata, era, spiegava, ha guardato, ha detto; 10. sono andati, avevo, sono rimasto

Esercizio 2

1. si sono conosciuti, conoscevo; 2. potevi, sono potuto; 3. sapevo, ha saputo; 4. ho dovuto, dovevi

Esercizio 3

1. ho sentito; 2. mi sono alzato; 3. sono andato; 4. ho fatto; 5. mi sono vestito; 6. sono andato; 7. ho preparato; 8. ho bevuto; 9. sono salito; 10. ho messo; 11. sono partito; 12. ero; 13. c'era; 14. ho acceso; 15. ho cominciato; 16. passava; 17. veniva; 18. ho continuato; 19. è squillato; 20. ho guardato; 21. potevo; 22. era

Esercizio 4

1. programmatori; 2. animatori; 3. collaboratrici; 4. centralinista; 5. fioraio/fiorista; 6. elettricisti; 7. scenografa; 8. stagisti; 9. parrucchiera; 10. operatori

Esercizio 5

1. giornalaio; 2. dentista; 3. magazziniere; 4. fioraio/fiorista; 5. artista; 6. giardiniere; 7. orologiaio; 8. macellaio; 9. pianista

Esercizio 6

1. alle; 2. per, per; 3. da; 4. fra/tra; 5. per; 6. fra/tra; 7. per; 8. da, da; 9. per, per; 10. fra/tra; 11. in; 12. per, a; 13. nel; 14. da

Unità 2
Cercare lavoro

Esercizio 1

servizi erogati: servizi forniti, offerti; *sviluppare le competenze*: aumentare le capacità; *verificare le competenze*: controllare quali sono le competenze; *promuovere il tirocinio*: incoraggiare le persone a partecipare al tirocinio; *favorire la crescita professionale*: aiutare le persone a migliorare professionalmente; *facilitare l'accesso*: aiutare le persone ad entrare

Esercizio 3

	Adecco	Centro per l'Impiego
Valutazione delle competenze e/o preselezione	x	x
Preparazione del *Profilo professionale*	x	
Offerta di lavoro	x	
Servizio di interpreti o mediatori		x
Selezione senza discriminazioni	x	x
Informazioni sulle offerte di lavoro	x	x
Orientamento nel mondo del lavoro		x
Tirocini formativi	x	x

Esercizio 5

Testo dell'ascolto
Al Centro per l'Impiego
- Buongiorno.
- Buongiorno, sto cercando lavoro come assistente anziani.
- Bene, lei è italiana?
- No, sono bulgara, ma vivo in Italia da molti anni.

– Ha con lei il permesso di soggiorno?
– Certo, eccolo.
– Bene, facciamo subito una fotocopia e poi compiliamo questa scheda con i suoi dati.

card

– Allora, il suo nome?
– Ivana Tzechova.
– Data di nascita?
– 14 ottobre 1964.
– OK. Ha detto di essere bulgara?
– Sì.
– Abita qui a Napoli?
– Sì, abito in via Nazionale, 136.
– E il suo numero di telefono?
– Ho solo il cellulare: 331 4423647.
– Lei cerca lavoro come assistente anziani, ha esperienze lavorative?
– Sì, ho lavorato per parecchi anni con una famiglia italiana qui a Napoli. Mi occupavo di una signora anziana. Nel mio paese lavoravo in un ospedale, sa, sono infermiera.
– Bene, quali sono i suoi titoli di studio?
– In Bulgaria sono un'infermiera diplomata.
– Ha la patente?
– Sì e ho anche l'automobile; invece non ho la moto, ma posso usare la bici.
– Bene, l'automobile è importante per trovare lavoro. E come disponibilità? Può lavorare anche di notte o nel weekend?

avualabi.l.ity

– Beh, sono separata e non ho problemi di orario.
– Attualmente è occupata?
– No, al momento non sto lavorando.
– Per ora questo può bastare, inserisco i suoi dati al computer. Se troviamo un impiego adatto a lei la ricontattiamo e...

1F; 2F; 3F; 4V; 5V; 6V; 7V

Esercizio 16

cover

1. Ivana; 2. 14 ottobre 1964; 3. bulgara; 4. via Nazionale, 136; 5. via Nazionale, 136; 6. separata; 7. diploma; 8. sì; 9. no; 10. bicicletta; 11. in Italia badante anziani, in Bulgaria infermiera; 12. bulgaro, italiano; 13. sabato/notturno; 14. nessuna; 15. nessuna

Esercizio 7
1. automunito; 2. nei pressi; 3. trasferte; 4. maggiorenne; 5. proroga; 6. biennale; 7. pluriennale; 8. scopo

Esercizio 8
1. Rif. 399; 2. Rif. 578; 3. Rif. 983; 4. Rif. 322

Esercizio 9
1. "Corriere della sera"; 2. commessa; 3. ritengo siano di alta qualità; 4. il vostro stile allegro; 5. sono una persona precisa e ordinata; 6. per

un lavoro a turni; 7. a partecipare a corsi di formazione; 8. mi diate la possibilità di un colloquio

Esercizio 11
1. studio; 2. diploma; 3. lavorativa; 4. esperienza; 5. conoscenze; 6. informatiche; 7. informazioni; 8. interessi

LAVORIAMO SULLA LINGUA

Esercizio 13
1. flessibilità; 2. puntualità; 3. determinazione; 4. motivazione; 5. responsabilità; 6. riservatezza; 7. costanza; 8. disponibilità

Esercizio 14
1. verbi che esprimono opinione; 2. verbi che esprimono desiderio

Esercizio 15
mi sembra che; non sono sicuro che; suppongo che; ritengo che; immagino che e simili

Esercizio 16
1. abbiano; 2. abbiano (possiedano); 3. sappiano; 4. abbiano; 5. dimostrino

Esercizio 17
1. sia; 2. siano; 3. facciano; 4. abbassino; 5. sappia; 6. sia; 7. abbiano; 8. siano; 9. abbiano

■■ RIEPILOGO GRAMMATICALE

Esercizio 1
1. Credo che Mirella finisca...; 2. Penso che i miei vicini vengano...; 3. Credo che il dott. Solmi sia...; 4. Mi sembra che Lei abbia...; 5. Penso che tu conosca...; 6. Credo che tua madre ti chiami...; 7. Mi auguro che il direttore ci dia...; 8. Temo che abbia...; 9. Ho l'impressione che abbiate...

Esercizio 2
1. lavori; 2. parli; 3. suoni; 4. finisca; 5. parta; 6. guadagni; 7. insegni; 8. paghi

Esercizio 3
1. di vivere/viva; 2. di non ricordare/non ricordi; 3. di aver dimenticato/abbiano dimenticato

Esercizio 4
1. sia; 2. parla; 3. venga; 4. faccia; 5. lavori; 6. parte; 7. torna; 8. conosca; 9. sento; 10. vengono/vengano; 11. sia; 12 farà

Esercizio 5
1. Ditta leader cerca persona che sappia perfettamente inglese, francese; 2. Non conosco nessun altro che parli così bene l'inglese; 3. La

mia ditta cerca personale che sia disposto a trasferirsi all'estero; 4. Non conosco molte persone che possano fare un lavoro così pesante; 5. La persona più generosa che abbia mai conosciuto è la mia amica Mary

Esercizio 6

1. scioltezza; 2. puntualità; 3. ironia; 4. serietà, costanza; 5. entusiasmo; 6. furbizia, lealtà; 7. gelosia

Unità 3
Colloqui ed esperienze lavorative

Esercizio 1

Testo dell'ascolto

Agente: Buongiorno signora Tzechova, **si accomodi**.

Ivana: Buongiorno, mi avete detto al telefono che avete **qualcosa** per me.

Agente: Sì, abbiamo la richiesta per **un'assistente per una signora** anziana, vive sola e **soffre** di demenza senile. La figlia non si fida a **lasciarla** in casa da sola.

Ivana: Ho capito. Che tipo di **orario** devo fare?

Agente: Sebbene la figlia sia molto **preoccupata** per sua madre, ha richiesto assistenza solo **durante** il giorno. Per la notte credo ci **pensi** lei. Per la sua giornata libera deve **parlare** con la cliente di persona e decidere con lei.

Ivana: La mia **assistita** ha bisogno di cure infermieristiche?

Agente: Sì, è diabetica e **deve** prendere delle medicine durante il giorno a **orari** fissi. Ma lei è infermiera e quindi non penso abbia **difficoltà**.

Ivana: Naturalmente, nessun problema.

Agente: C'è però un'altra cosa... La signora **richiede** anche qualche lavoro di pulizia della casa... Ha **qualcosa** in contrario?

Ivana: Beh... se si tratta solamente di qualche **lavoretto**... posso farlo... anche se nell'altro lavoro non dovevo **occuparmi** delle casa... mi posso adattare. La retribuzione?

Agente: Dieci euro l'ora lordi. Se si **fa male** sul lavoro ha diritto a una copertura dell'infortunio... lei queste cose le sa penso.

Ivana: Sì, le condizioni le conosco... come ho detto ho già lavorato in questo **settore**.

Agente: Bene, allora mi sembra che siamo **d'accordo**, le lascio il numero di telefono della cliente e lei...

Esercizio 3

1. datore; 2. in anticipo; 3. convocazione, referenze; 4. posto; 5. essere assunti; 6. lei; 7. esperienza; 8. ricercato

Esercizio 4

1c; 2a; 3b; 4c; 5b; 6b; 7b; 8a

Esercizio 5

Testo dell'ascolto

Sig. Cassino: Buongiorno, sono Luigi Cassino, responsabile del personale, si accomodi.

Sig. Vasa: Buongiorno, Raul Vasa, sono felice che lei mi offra questa opportunità.

Sig. Cassino: Signor Vasa, noi cerchiamo una persona che abbia esperienza nel settore metalmeccanico e vedo dal suo *curriculum vitae* che lei ha lavorato in una ditta meccanica di Piacenza per...

Sig. Vasa: Due anni.

Sig. Cassino: Giusto. Dunque, la nostra è una ditta leader nel settore e assumiamo persone che abbiano grande flessibilità e spirito di gruppo, perché lavorerà in un'équipe di tecnici, capisce?

Sig. Vasa: Perfettamente.

Sig. Cassino: Lei è diplomato perito meccanico, vedo che ha avuto un'ottima votazione. Complimenti. Dunque, nel suo ultimo lavoro, quali erano le sue mansioni?

Sig. Vasa: Ero responsabile alla finitura. Lavoravo in un'équipe di cinque persone.

Sig. Cassino: Bene, allora non avrà problemi con i nostri ragazzi. Lei è disposto a lavorare su due turni?

Sig. Vasa: Non ho nessun problema. Mi sono informato sulla vostra ditta e so che cercate qualcuno che sia disposto a lavorare su due turni. Non sono sposato e quindi i turni non sono un problema.

Sig. Cassino: Come saprà, questa è una posizione a tempo indeterminato con un periodo di prova di sei mesi e se...

1. grande; 2. responsabile del personale; 3. diplomato; 4. biennale; 5. due turni; 6. tempo indeterminato

LAVORIAMO SULLA LINGUA

Esercizio 9

1. aumentino; 2. sia; 3. ubbidiscano; 4. abbia; 5. collabori

Esercizio 10

1. Poi la persona che assistevo è mancata e non ho avuto difficoltà nel trovare il mio attuale lavoro **che** faccio ormai da quattro anni; 2. Mi sono affezionata a questa famiglia, sebbene non sia facile per una persona anziana accettare un estraneo **che** si prenda cura di lei; 3. Nel mio paese ero diplomata e conosco

molti immigrati **che** hanno studiato, alcuni addirittura hanno svolto lavori amministrativi; 4. Ma tutto questo non è necessario né indispensabile per svolgere questo nuovo lavoro di badante, perché alle famiglie **che** ci danno lavoro non interessa tanto il nostro livello di istruzione; 5. Per le famiglie è importante **che** noi possediamo umanità e dolcezza **che** ci permettano di prenderci cura dei loro cari

Esercizio 11
1. che; 2. cui, che; 3. cui; 4. che; 5. cui; 6. chi; 7. chi

Esercizio 12
1. qualche; 2. nessuna; 3. niente; 4. qualcuno; 5. qualcuno; 6. qualsiasi; 7. qualsiasi; 8. niente

Esercizio 13
1. Indossa vestiti eleganti; 2. Usa un trucco leggero; 3. Taglia la barba; 4. Elenca le esperienze lavorative; 5. Ricorda i tuoi hobbies e interessi; 6. Non mostrare nervosismo; 7. Parla tranquillamente; 8. Non dire il falso

Esercizio 14
1. entri; 2. faccia; 3. si preoccupi; 4. chieda; 5. provi; 6. torni; 7. vada; 8. venga

Il lavoro di Mjriam è: insegnante

Esercizio 15
1. in; 2. a; 3. in; 4. in; 5. a; 6. nel; 7. al; 8. al; 9. al; 10. nel; 11. a; 12. a; 13. nell'; 14. nel; 15. in

▉▉▉RIEPILOGO GRAMMATICALE

Esercizio 1
1. che; 2. in cui/nel quale; 3. di cui/del quale; 4. in cui/nella quale; 5. che; 6. in cui/nella quale; 7. per cui/per il quale. 8. con cui/con il quale; 9. che; 10. per cui

Esercizio 2
1. Guardate questa cartolina che rappresenta Tunisi; 2. Mi piace molto la costa pugliese che per certi aspetti assomiglia alla costa ligure; 3. Mia figlia ha paura dell'insegnante di italiano che è molto severo; 4. Mi piacerebbe avere un giardino in cui/nel quale vorrei coltivare un orto; 5. Mi fido poco degli sconosciuti che vendono merci a domicilio; 6. Ho conosciuto una ragazza algerina la cui conoscenza dell'italiano è ottima

Esercizio 3
1. chi; 2. chi; 3. con chi; 4. di chi; 5. a chi; 6. chi; 7. su chi

Esercizio 4
1. da cui, da cui; 2. in cui; 3. in cui; 4. che; 5. chi; 6. per cui; 7. in cui; 8. quanti; 9. di cui; 10. che

Esercizio 5
1. qualsiasi; 2. nessuna; 3. qualcosa; 4. tutti; 5. qualche; 6. ognuno; 7. tanta, qualche; 8. qualsiasi/qualunque; 9. niente; 10. tante; 11. qualche; 12. qualcuno/nessuno/tanti; 13. nessuno; 14. tante, poco; 15. qualcosa

Esercizio 6
1. in, in, negli; 2. a, a; 3. in, a; 4. in, a, in; 5. a, a

Esercizio 7
1. a; 2. a; 3. all'; 4. in; 5. al; 6. a; 7. in; 8. in; 9. a; 10 a; 11. nel

TEMA 2
La salute

Unità 4
Muoversi nel sistema sanitario

Esercizio 🎧11

Testo dell'ascolto

dott. Solmi: L'assistenza sanitaria si articola su vari livelli, il primo consiste nella medicina di base, cioè i medici di famiglia, come me, io sono un medico di famiglia. Noi assistiamo persone dai 6 anni in su, per i bambini prima dei 6 anni ci sono i pediatri di base che assistono i bambini anche fino a 14 anni.

Intervistatrice: Come si scelgono i medici di famiglia?

dott. Solmi: I cittadini ci scelgono liberamente. Cioè quando si richiede il cartellino sanitario si sceglie anche il medico di famiglia.

Intervistatrice: Per sempre?

dott. Solmi: Beh, no... per fortuna si può cambiare il medico in qualsiasi momento, se non si è soddisfatti, oppure se si cambia casa e si vuole un medico più vicino... Beh, continuiamo, il nostro servizio è gratuito, dalle 8 alle 20 dei giorni feriali e dalle 8 alle 12 del sabato. Gli orari di visita nei nostri studi possono essere liberi o regolati da appuntamenti.

Intervistatrice: Va bene, ma se qualcuno sta male e non può venire nello studio?

dott. Solmi: In questo caso si richiede la visita domiciliare. Se una persona sta male fuori dagli orari menzionati, può chiamare la guardia medica. Ecco, la guardia medica fa sempre parte dei servizi primari, per esempio. E anche i consultori che si occupano della salute della donna e dei giovani. Noi possiamo anche fare richiesta per i nostri pazienti di un servizio infermieristico a domicilio, se necessario, sempre gratuito.

Intervistatrice: Allora, se ho capito bene, il servizio primario è gratuito e rappresenta il primo contatto che ha il paziente con l'assistenza sanitaria.

dott. Solmi: Eh sì, possiamo dire così, noi dovremmo creare un rapporto di fiducia con i nostri pazienti, conoscerli bene, proprio perché li seguiamo per anni, e siamo o dovremmo essere in grado di consigliarli nel miglior modo possibile. Il secondo livello prevede l'assistenza specialistica sul territorio, al di fuori degli ospedali, in ambulatori (per esempio ortopedico, oculistico, cardiologico e così via) o in strutture di diagnosi strumentale, le cosiddette "analisi", i raggi, l'ecografia ecc. e per tutti questi servizi bisogna avere la richiesta del medico di famiglia e pagare il ticket. Il problema a questo livello è il tempo di attesa, che può essere molto lungo e quindi frustrante per il paziente.

Intervistatrice: E adesso siamo arrivati al terzo livello.

dott. Solmi: Che è il livello dell'assistenza ospedaliera in strutture pubbliche o convenzionate.

Intervistatrice: Cioè le strutture private dove però il paziente non paga perché esiste un accordo con la Regione.

dott. Solmi: Esatto. Qui devo fare un cenno a parte per l'emergenza, cioè il pronto soccorso. Questo servizio è riservato ai casi gravi, che implicano rischio per la salute o per la vita. Molte persone si rivolgono al pronto soccorso anche in caso di malesseri che potrebbero risolvere chiamando il medico di famiglia o la guardia medica, ma molti non lo sanno e forse non sono poi così sicuri di ricevere assistenza subito e quindi...

Esercizio 2

medicina di base; pediatri di base; medici di famiglia; visita domiciliare; guardia medica; servizio infermieristico; analisi; diagnosi strumentale, emergenza

Esercizio 3

1. Pediatra; 2. Occorre chiamare la guardia medica; 3. Perché si instaura tra medico e paziente un rapporto di fiducia duraturo; 4. Occorre andare dal medico di base che provvederà a fare la richiesta

Esercizio 4

Medico: specialista
Assistenza: sanitaria; di base; specialistica

Visita: ospedaliera; ambulatoriale; domiciliare; medica; specialistica

Esercizio 5

1F; 2F;3F; 4V

a. Nelle espressioni impersonali quando l'agente è indefinito; b. Non è definito; c. Alla terza persona singolare o plurale; d. L'azione

Esercizio 7

Se mi svegliassi di notte con un forte dolore alla pancia chiamerei la guardia medica che verrebbe a casa, mi visiterebbe e **si accerterebbe che non si tratti di appendicite, poi mi darebbe un medicinale per il dolore e mi direbbe di andare dal mio medico di base se il dolore continuasse**.

Il mio medico poi potrebbe **richiedere una visita specialistica**.

Allora io dovrei **telefonare e dovrei prenotare la visita, poi dovrei aspettare un periodo di tempo**. Riceverei a casa **un modulo per la visita e con questo modulo dovrei pagare il ticket**.

Il giorno stabilito per la visita specialistica **dovrei essere visitato dallo specialista che potrebbe richiedere altre analisi specifiche**.

Esercizio 8

Testo dell'ascolto

Paziente: Buongiorno. Vorrei prenotare una visita oculistica.
Operatore: Sì, mi dà il suo nome e **cognome**?
Paziente : **Josef Halevi**.
Operatore: La prima data possibile è il 22 **maggio** alle ore **9**.
Paziente : Non c'è la possibilità per il pomeriggio? Di **mattina** non posso. Non mi danno permessi al lavoro. Quando c'è una possibilità nel **pomeriggio**?
Operatore: Dobbiamo andare a **luglio**. Le va bene?
Paziente : Pazienza. Va bene **luglio**.
Operatore: Il **15 luglio** alle **ore 14**.
Paziente : **15 luglio**, ore14.
Operatore: Le manderemo **l'impegnativa** a casa nei prossimi giorni. Arrivederci.
Paziente : Grazie, arrivederci.

Esercizio 9

1. visita specialistica; 2. prenotazioni; 3. ticket; 4. guardia medica; 5. appuntamento; 6. analisi

LAVORIAMO SULLA LINGUA

Esercizio 12

1. si usa, non si conoscono; 2. si sta male, si può chiamare, si è gravi, si può chiamare; 3. non si

deve pagare, non si deve prendere; 4. si deve tenere; 5. si devono dare, si chiama

Esercizio 13
1. dovrebbe; 2. andresti; 3. uscirei; 4. verrebbero; 5. faresti

Esercizio 14
1. dovresti, vorresti; 2. dovresti; 3. dovresti, dovresti, potresti; 4. dovresti, dovresti; 5. dovresti, dovresti, potresti/dovresti; 6. dovresti; 7. potresti

Esercizio 15
1c; 2b; 3a; 4d; 5f; 6e

Esercizio 16
1. dovrei, potrebbe; 2. dovrei, dovresti/dovrebbe; 3. dovrebbero; 4. potresti, dovrei; 5. dovresti; 6. dovresti/potresti

▄▄▄ RIEPILOGO GRAMMATICALE

Esercizio 1
1. si mangia, si hanno; 2. si può; 3. si vuole; 4. si vive; 5. si vede; 6. si mangiano; 7. si è, si conoscono; 8. si parla; 9. si dicono; 10. si guarda

Esercizio 2
1. Con la riforma del ministro Bersani, **si possono comprare** molti medicinali con uno sconto fino al 30% sul prezzo; 2. Dal settembre 2006 **si sono aperti** molti corner della salute nei supermercati Coop su tutto il territorio nazionale; 3. In tutti i centri commerciali **si ha** la medesima ambientazione e **si hanno** gli stessi colori – come succede in altri paesi – **così si possono riconoscere**; 4. A tutela del consumatore, **si prevede** nei "corner della salute" la presenza di un farmacista che consiglia il cliente sul tipo di farmaco e sull'uso da farne; 5. **Si prevede** inoltre la vendita nei supermercati dei soli farmaci che non hanno bisogno di ricetta medica; 6. Per i farmaci che necessitano di una ricetta **si deve andare** in farmacia

Esercizio 3
1. si mangia; 2. si deve; 3. si può; 4. si sono venduti; 5. si sono registrate; 6. si vede; 7. si fa; 8. si vedono

Esercizio 4
1. prenderei, riuscirei; 2. daresti; 3. dovresti; 4. presteresti; 5. basterebbe; 6. verrei; 7. potresti; 8. faresti; 9. aiuterei; 10. resteremmo

Esercizio 5
1. dovrei; 2. avrei immaginato; 3. avrebbe accettato. 4. rivedrebbe; 5. avrebbe perso; 6. presterei; 7. direbbe; 8. potrebbe; 9. saresti tornata; 10. avrei voluto

Esercizio 6
1. Ti presterei la macchina...; 2. Ospiterei il ragazzo australiano...; 3. Sarebbero venuti anche loro...; 4. Sarei andata a teatro con loro...; 5. Farei un viaggio...

Esercizio 7
1. *L'insegnante la settimana scorsa ci aveva detto che* ci sarebbe stato un test di verifica. Ci aveva anche detto che nel test ci sarebbero stati degli esercizi sul condizionale; 2. *L'anno scorso* la mia amica mi ha detto che quando avrebbe finito il tirocinio saremmo andate in Marocco e mi avrebbe fatto conoscere i suoi amici e avremmo visitato insieme il paese; 3. *La mia amica mi ha telefonato la settimana scorsa e* mi ha detto che non sarebbe potuta venire con me a Parigi per le vacanze di Pasqua, mi ha però promesso che saremmo andate insieme in Spagna insieme per le vacanze estive

Unità 5
Parliamo di salute

Esercizio 🎧2

Testo dell'ascolto
Amel: Ho un appuntamento con la dottoressassa Bellocci.
Infermiera: Nome?
Amel: Amel Delzender.
Infermiera: Sì, un momento... ecco a lei il modulo, la macchinetta per pagare il ticket è là in fondo. Si accomodi davanti alla porta numero 5 e la chiameranno.

Chiara: Ehi Amel, che piacere vederti, come stai?
Amel: Ciao Chiara, sto bene. Che devi fare, qualche controllo?
Chiara: Sì, mi hanno mandato la lettera per fare il pap test, sai il programma screening. Me la mandano ogni tre anni... beh, eccomi di nuovo qui. Anche tu?
Amel: No, il solito controllo dalla ginecologa, lo faccio ogni anno, nulla di particolare. E come ti vanno le cose? Ti hanno rinnovato il contratto all'ospedale?
Chiara: Sì, me lo hanno rinnovato per altri tre anni.
Amel: Sarai contenta no?
Chiara: Beh, sono più tranquilla ora... Senti un po', sai qualcosa di Anita? Non la sento da tanto.

Soluzioni degli esercizi

Amel: Ah, non lo sapevi? Aspetta un bambino!

Chiara: Ma dai, che bello! E di quanti mesi
è?

Amel: Di tre o quattro, sì, penso... e tra qualche mese arriva sua madre per aiutarla
dopo la nascita del bimbo.

Chiara: E nessuno mi aveva detto niente!
Proprio una bella notizia, lei è contenta
no?

Amel: Molto e sta seguendo un corso prenatale proprio qui. Mi ha detto che è molto
interessante e utile, sai lei è sola qui e
così si sente seguita... sai com'è, il primo
figlio.

Chiara: Certo, la chiamerò presto, ho proprio
voglia di vederla e poi...

pap test; corso prenatale; programma screening; visita di controllo

Esercizio 3
1. capisci, allora; 2. vero?; 3. davvero?/non mi
dire; 4. vero?, voglio dire/capisci

Esercizio 4
1c; 2a; 3b; 4d; 5e

Esercizio 8
1. 27%; 2. 42%; 3. Perché non pensano ci sia
un mercato abbastanza conveniente

LAVORIAMO SULLA LINGUA

Esercizio 10
1. non mi dire!; 2. vero?; 3. capisci; 4. allora

Esercizio 11
1. Occorre/Bisogna prendere le medicine con
attenzione; 2. Bastano due pillole per il mal di
testa; 3. Dopo un'operazione conviene che il
paziente stia a riposo; 4. In questo caso occor-
re/bisogna chiamare l'ambulanza

Esercizio 12
1. bisogna firmare, conviene firmare; 2. occorre prendere; 3. basta chiedere; 4. occorre
chiedere

Esercizio 13
1. ottenga; 2. tornino; 3. faccia; 4. venga;
5. usciate; 6. dica

Esercizio 14
– Ciao Bianca dove vai di corsa?
– Devo comprare un regalo per il figlio di Fa-
riba e Ismail. Tu **glielo** hai già comprato?

– Sì, sono andata ieri a casa loro e **glielo** ho
portato.
– Non so proprio che cosa comprar**gli**. Tu sai
che cosa **gli** serve per il bimbo?
– So che hanno fatto una lista di cose utili.
Non **te lo** hanno detto?
– No, non **me lo** hanno detto, forse si sono
dimenticati, **li** ho visti di corsa per strada
la settimana scorsa, sembravano molto
stanchi.
– Sì, con un neonato non si dorme molto. A
te piacciono i bambini, potresti offrirti come baby-sitter una volta alla settimana.
Glielo potresti offrire come regalo!
– Ottima idea! **Glielo** propongo subito! **Li** vado a trovare adesso!

Esercizio 15
1. L'azienda **te lo** deve dare; 2. Lo stato **glielo**
deve garantire; 3. Il mio medico **me la** ha pre-
scritt**a**; 4. **Te lo** hanno detto?; 5. **Ve lo** porto; 6.
glielo ho dato; 7. **Te le** ho comprat**e**; 8. Se avete bisogno dell'indirizzo di una buona pediatra
ve lo do

■■■ RIEPILOGO GRAMMATICALE

Esercizio 1
1. glielo; 2. te lo; 3. glielo; 4. te la; 5. glieli; 6. me
li, restituit**i**; 7. me lo; 8. me lo; 9. glielo; 10. gliela, confermat**a**

Esercizio 2
1. glielo do; 2. te lo offro; 3. te le presento;
4. te la faccio vedere; 5. me la dica; 6. glielo
voglio regalare; 7. te li presterei; 8. te li portiamo; 9. glielo abbiamo detto; 10. non me li hanno dati

Esercizio 3
1. davvero!; 2. ma va!/ non ci credo!; 3. beh;
4. ecco; 5. allora; 6. beh/allora

Esercizio 4
1. Sembra che in Italia i medici prescrivano...;
2. Basta che tu faccia mezz'ora di attività fisica per...; 3. Pare che rispetto a vent'anni fa i
bambini siano...; 4. Si dice che gli italiani all'e-
stero siano molto rumorosi e viaggino...; 5.
Occorre che le persone incomincino a mangiare meno...

Esercizio 5
1. basta; 2. interessano; 3. piacciono; 4. basta;
5. manca; 6. occorrono; 7. dispiacciono; 8. interessa; 9. occorre; 10. bastano; 11. vuole;
12. manca; 13. mancano

Unità 6
I servizi ospedalieri

Esercizi 🎧11🎧 e 🎧12🎧

Testo dell'ascolto

Intervistatore: Avevi già lavorato come infermiera prima dell'Italia?

Sadia: No, in Marocco studiavo, la **prima** volta ero venuta in vacanza a trovare le **mie** sorelle e i miei fratelli che già erano in Italia e poi sono venuta per **restare**. Avevo già studiato l'**italiano** in Marocco e in Italia **ho frequentato** dei corsi presso i centri **territoriali** e anche a Perugia, all'Università per stranieri.

Intervistatore: Come sei diventata infermiera?

Sadia: Mi sono iscritta all'Università, presso la facoltà di **infermieristica**. Prima però avevo dovuto dare l'**esame** di maturità in Italia. Il corso è durato tre anni e **dopo** mi sono iscritta in un'agenzia per il **lavoro** e così sono entrata in un **ospedale** con un contratto di un anno. Certo, non **sono stata assunta** subito, ho dovuto aspettare per tutti gli **accertamenti** e come cittadina straniera non posso essere assunta a **tempo indeterminato**... e non posso accedere ai **bandi** per i concorsi pubblici.

Intervistatore: In quale reparto lavori?

Sadia: Lavoro in **sala operatoria** nel reparto di ortopedia e faccio anche servizio al **pronto soccorso**, sempre per ortopedia. È un po' **faticoso** cambiare dal reparto al pronto soccorso e poi di nuovo al **reparto**, e poi siamo sempre di corsa, il **personale** non sembra mai abbastanza ma il mio lavoro **mi piace**.

Intervistatore: Con i colleghi hai un buon rapporto?

Sadia: All'inizio c'era molta **diffidenza** nei miei confronti, per il fatto che sono straniera e musulmana con il velo. Mi sentivo molto **sola**. Con il tempo le cose sono cambiate e **adesso** i rapporti sono amichevoli e **distesi**, anche se io ho dovuto fare molti **compromessi**. Ho imparato a mediare tra le due **culture**; come vedi io uso il velo e al lavoro non posso farlo, perché la **caposala** non mi ha dato il permesso. **Comunque**, dato che io lavoro in sala operatoria, devo portare un copricapo e allora... Va bene **lo stesso** diciamo.

Intervistatore: E i contatti con i pazienti?

Sadia: Lavorando in sala operatoria non ho molti contatti con i **pazienti**, di solito sono sotto **anestesia totale** e quindi non sono esposta a possibili atteggiamenti di **sfiducia** o sospetto come qualche volta succede a **infermiere** immigrate dal Sud del mondo in particolare, che lavorano in reparto. Una mia amica che lavora nel reparto di **geriatria** aveva avuto molti problemi all'inizio, perché le persone anziane non la **accettavano** come infermiera. Adesso la **adorano** tutti!

Intervistatore: Nel pronto soccorso è usato adesso un sistema di codici per classificare le urgenze ma anche per scoraggiare l'uso non appropriato del servizio, facendo pagare un ticket per le non urgenze. Hai notato qualche cambiamento?

Sadia: Le persone che stanno male sentono il loro **dolore** e ognuno lo vive in modo diverso ed è difficile dire a **qualcuno** non devi venire qui, aspetta e fatti vedere dal tuo medico o dal **medico di guardia**. Molti preferiscono pagare il **ticket** per la visita ma sentirsi sicuri, e il pronto soccorso dà questa **sicurezza** credo. Ci vuole tempo per abituare le persone a usare tutti gli altri **servizi sanitari** in modo efficiente anche perché non sempre i servizi funzionano così bene...

1V; 2F; 3F; 4V; 5V; 6V; 7V

Esercizio 3
1a; 2c; 3b

Esercizio 5
1. Emergenza e urgenza; 5. Geriatrico e riabilitativo; 6. Pneumologico; 7. Chirurgico; 8. Testa e collo; 9. Osteo-articolare; 10. Neuroscienze; 11. Cuore; 12. Materno-infantile; 13. Radiologia e diagnostica

Esercizio 6
1. osteo-articolare; 2. cuore; 3. malattie infettive/dermatologia; 4. testa e collo; 5. geriatrico e riabilitativo; 6. materno-infantile; 7. neuroscienze; 8. testa e collo

Esercizio 7
1e; 2f; 3g; 4b; 5a; 6h; 7d; 8c

LAVORIAMO SULLA LINGUA

Esercizio 8
1. annuali; 2. primaverile; 3. serale; 4. anemica; 5. cardiopatica; 6. drammatica; 7. traumatica; 8. propagandistico

Esercizio 9
(Soluzioni suggerite)
1. Scusi, mi potrebbe dire/indicare la strada per...; 2. Le dispiacerebbe spegnere la sigaretta?; 3. Potreste abbassare il volume?; 4. Scusi, mi saprebbe dire l'ora?; 5. Potresti rispondere?

Esercizio 10
(Soluzioni suggerite)
1. Dovresti cercare di fumare meno; 2. Al posto tuo farei subito denuncia alla polizia; 3. Perché

non ti consulti con una dietologa?; 4. Dovresti mangiare meglio; 5. Al posto tuo andrei al pronto soccorso; 6. Dovresti cambiare il tuo medico

Esercizio 11
1. di; 2. pazienti; 3. rassicura; 4. cura; 5. raffreddore; 6. tumore; 7. medicina alternativa; 8. vita media; 9. medicina orientale; 10. benessere; 11. cause; 12. medicina

Esercizio 12
1. ero venuta; 2. avevo dovuto; 3. aveva avuto

Esercizio 13

Trapassato (lun. 18 set.)	Passato (mar. 19 set.)	Presente (mer. 20 set.)
avevamo parlato	ho avuto	sono
avevo considerato	ho fatto	va
si erano lamentati	ha detto	spero
avevano ricevuto	andava	
avevamo promesso	ha aggiunto	
avevo date	erano	
	ho detto	
	ha risposto	
	dovevo	

Esercizio 14
(Soluzioni suggerite)
1. ... mi ero rotta la gamba; 2. ... mi ero iscritta a un corso di massaggio shiatzu; 3. ... avevo avuto molte difficoltà; 4. ... avevo smesso molto prima; 5. ... eravamo andati

■■ RIEPILOGO GRAMMATICALE

Esercizio 1
Mi **sono svegliato** tardi perché mi **ero dimenticato** di puntare la sveglia; mi **sono vestito** di corsa perché ero in un ritardo mostruoso: **avevo detto** ai miei colleghi di venirmi a prendere perché **quel giorno c'era** lo sciopero dei treni e la mia macchina **era** dal meccanico. L'appuntamento era dieci minuti **prima**.
Mi **sono vestito** alla velocità del fulmine e **ho sceso** le scale a salti. **Arrivato** di sotto mi **sono ricordato** che non **avevo preso** la mia borsa di lavoro. **Sono tornato** su di corsa e con orrore mi **sono accorto** che **avevo dimenticato** le chiavi in casa.
Ho ridisceso le scale con il rischio di ammazzarmi e **sono corso** alla fermata dell'autobus dove **avevo dato** appuntamento ai miei colleghi: nessuno. Forse non mi **avevano aspettato** e con sgomento mi **sono reso conto** che non **potevo** neanche mettermi in contatto con loro perché **avevo messo** il cellulare nella borsa di lavoro che si **trovava** a casa. Mi **veniva** voglia di piange-

re, mi **sono seduto** sulla panchina della fermata dell'autobus e **ho aspettato**, non so bene cosa, e mentre **cercavo** di pensare a che cosa fare **ho guardato** distrattamente il mio orologio che per fortuna mi **ero ricordato** di indossare: **erano** le 7,30! L'appuntamento con i miei colleghi **era** alle otto! **Avevo guardato** male l'ora della sveglia e **allora ero** addirittura in anticipo! Inutile arrabbiarsi di nuovo, mi **sono alzato** sono andato al bar di fronte e **ho fatto** una bella colazione.

Esercizio 2
1. Ieri sera noi abbiamo visto quel film molto volentieri anche se l'avevamo già visto al cinema estivo l'anno scorso; 2. Quando sono andata a Firenze volevo comprarmi una borsa di pelle, ma era molto cara, avevo già speso molto per l'hotel e non avevo abbastanza soldi; 3. In quella mostra avevo visto delle opere che non avevo mai visto prima perché erano molto particolari; 4. Mjriam era molto felice perché la settimana prima era arrivata sua madre; 5. Loro sono venuti a casa nostra dopo che avevano saputo che io ero stata in ospedale; 6. Ieri Sergio non è venuto al lavoro perché aveva avuto un forte mal di denti per tutta la notte

Esercizio 3
1. c'era; 2. regnava; 3. beveva; 4. provocava; 5. era scesa; 6. era spenta; 7. erano; 8. sentivano; 9. era stato creato; 10. erano/erano stati

Esercizio 4
1. per; 2. dalle; 3. dalle; 4. dai; 5. di; 6. in; 7. in; 8. di; 9. in; 10. al; 11. da; 12. di; 13. di; 14. di; 15. di; 16. di; 17. sui; 18. sulle; 19. dai; 20. della; 21. dai; 22. dalle; 23. nella; 24. dall'; 25. in

Esercizio 5
1. delle città; 2. le attività sportive sono considerate; 3. sulle qualità più divertenti; 4. delle stazioni radio locali; 5. alle università italiane

TEMA 3
La città in cui vivo

Unità 7
La casa

Esercizio 1
1V; 2F; 3V; 4V; 5F; 6F; 7V

Esercizio 2
1a; 2e; 3d; 4f; 5g; 6c; 7b

Esercizio 3
1c; 2a; 3b; 4d

Esercizio 4

1. camera, divido, mio spazio, gli amici; 2. è caro, appartamento; 3. un appartamento popolare, il mutuo, potrei pagare un affitto; 4. dal reddito, pagare, a casa mia

Esercizio 5

Testo dell'ascolto

Io vivo in una piccola città di provincia, vivo in un condominio. Se potessi avere la mia casa ideale, essa sarebbe in periferia, in campagna, però non troppo lontana da un centro abitato. Sarebbe come la mia casa in Marocco, un edificio su un piano con un giardino davanti e uno dietro. Quindi un po' come i chiostri italiani. Se ci fosse un giardino interno ci sarebbero anche una fontana, alberi da frutto e delle panchine per passare il tempo e chiacchierare o riposarsi.
Davanti alla casa ci sarebbe un cespuglio di gelsomino che si arrampicherebbe sulla parete e arriverebbe fino al tetto. Se fosse possibile, preferirei il tetto piatto a terrazza, dove si potrebbe stendere il bucato e prendere il sole in inverno.
Tutte le porte si aprirebbero sul giardino interno, così tutti potrebbero uscire e sentire il profumo dei fiori.
Nella parte anteriore ci sarebbero la cucina, grande, e il soggiorno; le camere da letto sarebbero disposte sugli altri tre lati dell'edificio. Anche se avessi molti soldi non vorrei che la casa fosse molto grande: tre camere da letto per me sarebbero sufficienti ma vorrei avere due bagni.
La cosa per me più importante è vivere nel verde e tra i profumi della natura.

Disegno b

Esercizio 6

1. potessi; 2. sarebbe; 3. sarebbe; 4. ci fosse; 5. passare; 6. sarebbe; 7. arrampicherebbe; 8. fosse; 9. potrebbe; 10. aprirebbero; 11. potrebbero; 12. sarebbero; 13. sarebbero; 14. avessi; 15. fosse; 16. sarebbero

Esercizio 7

Testo dell'ascolto

Irene: Mi chiamo Irene e vivo in Italia da cinque anni. Mi piace il mio appartamentino a Trastevere, a Roma; mi manca tantissimo la sauna. In Finlandia tutti hanno la sauna in casa e anche chi vive in un appartamento può prenotare la sauna del condominio e fare la sauna almeno una volta la settimana. Qui in Italia non si sa che cosa sia una vera sauna e anche nei centri per la salute o nelle palestre le saune sono patetiche! Se un giorno avrò una casa mia farò installare una sauna e inviterò tutti i miei amici per un fine settimana veramente finlandese!

Jane: Mi chiamo Jane e vengo dal Ghana. A me manca molto la vita di quartiere. Nella mia cittadina in ogni quartiere tutti si conoscono e la sera si sta fuori a chiacchierare con i vicini. Qui vivo in un palazzone e non conosco nessuno dei miei vicini. Mi sento molto isolata e sola.

Sabrina: Il mio nome è Sabrina. Sono romana e sono venuta qui a Milano per trovare un lavoro. Vivo in un quartiere abbastanza centrale, in una palazzina a tre piani. Mi piace il mio appartamento, piccolo ma carino. Mi mancano le mie piante. A Roma avevo un grande terrazzo pieno di piante e tutto l'anno potevo sedermi tra il verde. Qui fa freddo e anche se ho un balconcino non posso tenerci le piante d'inverno perché gelano, e in effetti tutti gli anni molte piante muoiono.

Anna: Io mi chiamo Anna. Sono italiana e vivo in Francia da tre anni. Mi trovo bene qui e vivo in una casetta in campagna in Provenza. Che cosa mi manca di casa mia? Il bidet! Lo so che può sembrare stupido ma non mi sono ancora abituata ad avere un bagno senza il bidet! Ho comprato in Italia un bidet portabile ma non è la stessa cosa!

Fariba: Sono Fariba. A me manca il giardino. In Iran vivevo in una cittadina di provincia e la mia casa aveva un giardinetto interno, piccolo ma molto verde. Mi manca il profumo del gelsomino, la sera, e potermi sedere fuori al fresco nelle serate estive.

Kadhija: Il mio nome è Kadhija. Mi manca il mare. Vengo da Tangeri e vivevo vicino al mare. Ogni sera sentivo il rumore delle onde e l'odore del sale. In Italia vivo nella Pianura padana e qualche volta, nelle serate estive, guardo fuori dalla finestra e mi immagino che l'estesa, piatta pianura verde sia acqua...

Irene: sauna; *Jane:* vita di quartiere, chiacchierare con le persone; *Sabrina:* piante, vasi di fiori; *Anna:* bidet; *Fariba:* giardino interno, profumo del gelsomino; *Kadhija:* mare, rumore delle onde, odore del sale

Esercizio 8

1. piano terra; 2. primo piano; 3. soggiorno; 4. camera matrimoniale; 5. camera singola; 6. angolo cottura; 7. ingresso; 8. con ascensore; 9. senza ascensore; 10. bilocale; 11. adiacenze; 12. riscaldamento autonomo; 13. riscaldamento centralizzato; 14. giardino condominiale

Esercizio 9
Rif. AA347, perché è arredato e il prezzo è quello sostenibile dalle due studentesse

Esercizio 10
1. Stress, inquinamento, mancanza del verde; 2. Il pendolarismo e, quindi, l'inquinamento

Esercizio 11
1. complemento; 2. locativo; 3. esistenziale; 4. locativo

Esercizio 12
1. sono stanchi del rumore; 2. non può più sopportare la città (*poterne* è un verbo idiomatico, significa "essere molto stanchi di qualcuno o qualcosa"); 3. i piccoli centri hanno maggior successo o ottengono risultati migliori; 4. il lavoro è il motivo principale nella decisione di rimanere in città

LAVORIAMO SULLA LINGUA

Esercizio 13
1. palazzo, edificio grande e brutto; 2. balcone, piccolo terrazzo; 3. casa, abitazione piccola e graziosa; 4. città, centro urbano di piccole dimensioni; 5. giardino, piccola porzione di terreno coltivata con piante ornamentali

Esercizio 14
1. palazzone; 2. lettino; 3. balconcino; 4. stradine; 5. uno stradone; 6. vecchietta, casetta; 7. figlioletto; 8. appartamentino; 9. omone

Esercizio 15
1. ce; 2. ce; 3. ci; 4. ne; 5. ci; 6. ne; 7. ci; 8. ne; 9. ne; 10. ci

Esercizio 16
Al congiuntivo

Esercizio 17
1. venisse; 2. preferisse; 3. conoscesse; 4. abitasse; 5. facesse; 6. nascondesse

■■ RIEPILOGO GRAMMATICALE

Esercizio 1
1. dicessi; 2. si fosse sposato/si sposasse; 3. potessi; 4. arrivassi/fossi arrivata, festeggiaste/ aveste festeggiato; 5. sospettassero/avessero sospettato; 6. foste; 7. avessero imparato; 8. stessero, fiatassero; 9. dicesse; 10. trovaste/ avreste trovato

Esercizio 2
1. Non ha toccato cibo malgrado non mangiasse/avesse mangiato da tre giorni; 2. Vi possiamo accompagnare noi tranne che voi abbiate chiamato già un taxi; 3. Se Luca voleva parlarmi bastava che mi telefonasse/avesse telefonato a casa di mia sorella; 4. Mi ha fatto un bellissimo regalo di compleanno nonostante avessimo litigato; 5. Vai a cambiare le scarpe che hai comprato prima che il negozio chiuda; 6. Accetto la cena a patto che paghi io stavolta; 7. Avevo deciso di non tornare a casa per le vacanze a meno che non fosse arrivata/arrivasse mia sorella dalla Germania per fare insieme il viaggio; 8. Ti lascio la mia bicicletta nel caso che finisca tardi la riunione; 9. La invitai a passare le ferie a casa mia nonostante sapessi che era una persona difficile; 10. Mi telefonò la settimana scorsa come se non fosse successo niente tra noi

Esercizio 3
(Soluzioni suggerite)
1. ... avessi la febbre/facesse brutto tempo; 2. ... ti comporti bene; 3. ... sia una persona simpatica; 4: ... venisse anche lei; 5. ... fosse arrabbiata

Esercizio 4
1. abbia preso; 2. arrivi/sia arrivato; 3. beva; 4. parli; 5. stia

Esercizio 5
1g; 2f; 3a; 4h; 5d; 6b; 7c; 8e

Esercizio 6
1. abbiate; 2. steste; 3. avrebbero accolto; 4. potrò; 5. aiuterei; 6. fosse successo; 7. comprendo; 8. desse; 9. avresti potuto; 10. dicessi

Esercizio 7
1. Ho comprato una borsa estiva anche se ne avevo già altre tre; 2. Siamo andati al cinema e abbiamo visto un film e non ne valeva la pena; 3. Maria ha lasciato Michele e da allora non ne vuole più sentire parlare; 4. Per il mio compleanno ho invitato molte persone a casa ma non immaginavo ne sarebbero venute tante; 5. Ho finito un libro molto interessante invece la settimana scorsa ne avevo finito uno molto noioso

Esercizio 8
1. ci sono andato; 2. ci ho pensato; 3. ci andremo; 4. ci viviamo; 5. non ci credo

Esercizio 9
1. ce la fa; 2. ce la facevo; 3. ci vogliono; 4. ci sto; 5. ci credo; 6. ci credo; 7. ci penserò; 8. c'era; 9. ci vedo; 10. ci vuole, ci vogliono; 11. ne valeva; 12. se n'è; 13. ne posso

Esercizio 10
1; 3; 6; 7; 8; 10; 15; 16; 19; 20

Unità 8
Il tempo libero

Esercizio 1

tempo per sé: 44 %; *tempo per la famiglia:* 29,3%; *tempo per gli amici:* 21,9%; *insoddisfazione per la quantità del tempo libero:* 61%; *soddisfazione per la qualità del tempo libero:* 68,2%; *incontrare i parenti una volta la settimana:* 49,2%; *incontrare gli amici tutti i giorni:* 20,1%; *mangiare fuori casa:* 79%; *andare al cinema:* 41,8%

Esercizio 2

1. che; 2. che; 3. degli; 4. degli; 5. delle; 6. che

Esercizio 3

1h; 2a; 3d; 4f; 5e; 6g; 7c; 8b

Esercizio 5

Testo dell'ascolto

1. *Karina:* Mi chiamo Karina e vengo dalla Lituania. Lavorando come badante ho solamente un pomeriggio libero la settimana e lo trascorro di solito al parco, quando fa bello, perché lì ci incontriamo tutte quante; lì di lituane ce ne sono molte; spesso viviamo in casa delle persone di cui ci prendiamo cura e non abbiamo un posto nostro, così facciamo uso del parco come di un salotto e possiamo chiacchierare e anche aiutarci tra di noi. Il parco è molto bello e noi di solito ci portiamo da mangiare e facciamo un pic-nic. A volte vengono anche gli uomini del nostro paese e c'è sempre qualcuno che suona la fisarmonica, o qualche altro strumento, e così facciamo anche una bella cantata. Molte volte diventiamo tutti un po' tristi perché pensiamo al nostro paese e molte di noi hanno lasciato là dei figli o dei mariti.

2. *Janet:* Noi ghanesi siamo una comunità molto unita e abbiamo un paio di associazioni in città. Io ne frequento una delle due perché non è legata alla chiesa mentre l'altra è più religiosa e le attività sono meno interessanti... Beh, anche loro ballano e cantano e fanno festa, ma non fa per me! Nella mia associazione molte volte organizziamo delle serate sociali o eventi culturali e questo mi piace tantissimo, perché è un modo di stare insieme e allo stesso tempo di fare delle cose... per esempio l'anno scorso noi donne abbiamo pensato di fare una sfilata di moda, cioè con i nostri vestiti tradizionali... abbiamo chiesto al Comune di darci una sala e ce l'ha data, poi abbiamo convinto anche gli uomini a partecipare ed è stata una serata molto bella, perché abbiamo invitato la cittadinanza, abbiamo scritto un comunicato stampa e l'abbiamo spedito a tutti i media locali e ad alcuni rappresentanti del governo locale. Alla fine abbiamo deciso tutti di rifare una serata del genere, però con la partecipazione di altre comunità e anche con gli italiani che potrebbero presentare i vestiti tradizionali della regione. Ci stiamo già lavorando... e il mio tempo libero adesso è tutto preso da questa cosa.

3. *Abdul:* Io lavoro e studio e di tempo libero non ne ho molto. Però mi piace molto ballare e così ogni tanto vado in discoteca con i miei amici e allora ballo tutta la sera, anche da solo, mi butto in pista e ballo... Non mi interessa trovare una ragazza perché ho una ragazza in Tunisia e quando finisco gli studi tornerò e ci sposeremo, però qui in Italia ho un paio di amiche dell'Università e loro, ogni tanto, vengono con me in discoteca, allora ci scateniamo e balliamo tutti insieme e ci divertiamo un sacco. Un paio di volte è successo che un buttafuori non volesse farmi entrare, e allora i miei amici si sono un po' arrabbiati e ce ne siamo andati tutti. Hanno detto: "Se non entra lui, nemmeno noi!". Non sono cose carine, ma purtroppo succedono.

4. *Amelia:* Tempo libero? Che cos'è? Io sono separata con un bambino e vivo sola. Lavoro in un supermercato, quando finisco di lavorare devo fare tremila cose a casa e poi c'è il bambino e devo stare anche con lui ovviamente. Mi piace molto leggere ma non ho tempo neanche per quello; alla sera mi metto a letto con un libro ma mi addormento dopo due pagine. Mi piace molto andare al cinema, ma l'ultima volta che ho visto un film deve essere stato due anni fa, me lo ricordo ancora! Ogni settimana vado a trovare una mia amica, anche lei con un bambino piccolo. Beviamo qualcosa insieme e facciamo due chiacchiere; ecco, questo è il mio tempo libero!

1b; 2b; 3c; 4b

Esercizio 6

1. *Karina:* Si chiama Karina e viene dalla Lituania. Lavorando come badante **ha solamente un pomeriggio** libero la settimana e lo trascorre di solito al parco, quando fa bello. Lì **di lituane** ce ne sono molte e spesso vivono in casa delle persone di cui **si prendono cura** e non hanno un posto loro e così **fanno uso del parco come di un salotto** e possono chiacchierare e anche

aiutarsi tra di loro. Il parco è molto bello **e loro di solito si portano** da mangiare. A volte vanno anche gli uomini del loro paese e c'è sempre qualcuno che suona la fisarmonica, o qualche altro strumento, e così **fanno anche una bella cantata**. Molte volte diventano tutti un po' tristi perché pensano al loro paese e molte **di loro hanno lasciato là dei figli o dei mariti**.

2. *Janet:* I ghanesi **sono** molto uniti e hanno due associazioni in città. Lei ne frequenta una delle due perché non è legata alla chiesa, mentre l'altra è più religiosa e le attività sono meno interessanti. Anche loro ballano e cantano e fanno festa, **ma non fa per lei**! Nella sua associazione molte volte **organizzano delle serate sociali** o eventi culturali e questo le piace tantissimo, perché è un modo di stare insieme: per esempio l'anno scorso le donne **hanno pensato** di fare una sfilata di moda, cioè con i loro vestiti tradizionali, hanno chiesto al Comune di dargli una sala e il Comune **gliel'ha data**, poi **hanno convinto** anche gli uomini a partecipare ed è stata una serata molto bella, perché hanno invitato la cittadinanza, hanno scritto un comunicato stampa e **l'hanno spedito** a tutti i media locali e ad alcuni rappresentanti del governo locale. Alla fine hanno deciso tutti di rifare una serata del genere, ma questa volta con la partecipazione di altre comunità e anche con gli italiani, che potrebbero presentare i vestiti tradizionali della regione. Ci **stanno già lavorando** e il suo tempo libero adesso è tutto preso da quella cosa.

3. *Abdul:* Lui lavora e studia e di tempo libero non ne ha molto. Però **gli piace molto ballare** e così ogni tanto va in discoteca con i suoi amici e allora balla tutta la sera, anche da solo, **si butta in pista** e balla... Non gli interessa trovare una ragazza perché ha una ragazza in Tunisia e quando finisce gli studi **tornerà e si sposeranno**, però in Italia ha un paio di amiche dell'Università e loro ogni tanto vanno con lui in discoteca, allora si **scatenano e ballano** tutti insieme e si divertono un sacco. Un paio di volte è successo che un buttafuori non volesse **farlo entrare**, e allora i suoi amici **si sono un po' arrabbiati** e se ne sono andati tutti, hanno detto: "Se non entra lui, nemmeno noi".

4. *Amelia:* "Tempo libero? Che cos'è?" dice Amelia. **Lei è** separata con un bambino e vive sola. Lavora in un supermercato, quando **finisce di lavorare** deve fare tre-

mila cose a casa e poi c'è il bambino e deve stare anche con lui ovviamente. Le piace molto leggere ma non ha tempo neanche per quello; alla sera **si mette a letto** con un libro ma si addormenta dopo due pagine. **Le piace** molto andare al cinema, ma l'ultima volta che ha visto un film deve essere stato due anni fa, se lo ricorda ancora! Ogni settimana **va a trovare** una sua amica, anche lei con un bambino piccolo, **bevono qualcosa insieme** e fanno due chiacchiere; questo è il suo tempo libero!

Esercizio 7
d

Esercizio 8
1. Alla TV si può uccidere, vincere, morire, diventare ricchi e perdere tutto per poi ricominciare daccapo; si possono vedere stragi in diretta, uccisioni o vicini di casa che partecipano a un *reality show*; 2. La televisione è uno strumento che deve essere "addomesticato"; 3. Il bambino non può rimanere davanti alla TV più di due ore di seguito; non può vedere la TV dopo le 21,30; non può vedere programmi a contenuto violento o sessuale (bollino rosso), non può vedere più di 10 ore di TV a settimana; 4. Non c'è più tempo per le relazioni umane e la TV diventa allora lo strumento in grado di rendere i rapporti sempre più passivi

Esercizio 9
improntata: segnata; *discriminare*: distinguere; *noti*: conosciuti; *una di casa*: intima amica; *perfetti sconosciuti*: estranei; *addomesticato*: controllato; *norme*: regole; *contenuto*: argomento; *vengono rispettate*: vengono seguite; *ostacolata*: impedita

Esercizio 10
1. sono/vengono disposte; 2. sono/vengono soffiate/mangiate; 3. è/viene fatta sparire; 4. è/viene trasformata; 5. è/viene spostata; 6. è/viene mangiato

LAVORIAMO SULLA LINGUA

Esercizio 11
Karina: ce ne = ci sono molte lituane lì; *Janet:* gliel'ha = ha dato loro la sala; *Abdul:* se ne = sono andati via da quel posto; *Amelia:* se lo = si ricorda ancora di quel film

Esercizio 12
1. lo; 2. ce ne; 3. me lo; 4. lo; 5. me lo; 6. gliene; 7. me le; 8. te lo

Esercizio 13
(Soluzioni suggerite)
1. Qual è lo sport femminile più praticato in Australia?; 2. Qual è la forma di intrattenimento più popolare in Italia?; 3. Qual è il regista più famoso di Spagna?; 4. Qual è il mezzo di trasporto più usato in Cina?; 5. Qual è il monumento più famoso/conosciuto in Italia?; 6. Qual è la meta turistica più amata in Italia?; 7. Quali sono i programmi televisivi più seguiti nel mondo?

Esercizio 14
1. migliore; 2. peggiore; 3. pessima; 4. ottima; 5. minimo; 6. maggiori; 7. inferiore

Esercizio 15
1. è stato riportato; 2. sono stati uccisi; 3. sono stati ricoverati; 4. è/viene considerata; 5. è frequentata; 6. è stata calcolata; 7. è stato dato; 8. sono stati svegliati; 9. è stata chiamata

Esercizio 16
1. Informazioni corrette non sempre vengono /sono date dalle agenzie di viaggio; 2. Mi è stata regalata dai miei colleghi; 3. Si dovrebbero prendere tutte le informazioni possibili; 4. Molti problemi dovranno venire affrontati dal nuovo direttore

■■■ RIEPILOGO GRAMMATICALE

Esercizio 1
rubbish
1. che; 2. che; 3. di quanto; 4. a quello; 5. di quello che; 6. del; 7. d'; 8. che; 9. dell'; 10. che

Esercizio 2
noxious
1. maggiori/minori; 2. massimo, minimo; 3. peggiore; 4. ottima; 5. migliore; 6. peggiore; 7. minore; 8. superiore; 9. superiore

Esercizio 3
1. stanchissimi; 2. affollatissimi; 3. gentilissima; 4. ottimo/molto buono; 5. benissimo; 6. ottimo; 7. noiosissimo; 8. benissimo

Esercizio 4
1. si terrà; 2. si rivolge/è rivolto/viene rivolto; 3. è aperto; 4. verrà formata; 5. verranno offerte; 6. si chiuderà/verrà chiuso; 7. sono state programmate; 8. sono stati organizzati; 9. verrà dato

Esercizio 5
1. I bambini di età inferiore ai tre anni verranno accettati...; 2. Il tempo pieno viene abolito...; 3. Due categorie di scuole vengono ripristinate...; 4. L'inizio dello studio della lingua straniera *fertilizer* è/viene previsto a sei anni dalla legge; 5. Lo studente viene valutato e promosso o respinto...

Esercizio 6
1. La partita è stata sospesa dall'arbitro per 10 minuti; 2. I fondi per la ristrutturazione sono stati dati da un'importante banca della città; 3. Le mie parole sono state interpretate male da Maria; 4. La riviera adriatica ogni anno è/viene visitata da migliaia di turisti tedeschi; 5. Una famosa mostra fotografica sarà/verrà allestita al museo cittadino; 6. L'anno scorso una gita molto interessante è stata organizzata dalla scuola di mio figlio; 7. La pasta è preferita al riso dagli italiani; 8. Giornali sportivi invece di quotidiani più impegnativi sono letti dalla maggior parte degli italiani; 9. I figli devono essere capiti dai genitori; 10. Credevo che la partita fosse stata annullata dall'arbitro a causa dei tifosi violenti; 11. La nostra città è stata colpita da un temporale violentissimo; 12. Credo che la brutta notizia sia stata data ieri dalla radio; 13. Questo prodotto può essere comprato (da te) in qualsiasi negozio alimentare

Esercizio 7
1b; 2a; 3c; 4a; 5a; 6b

Unità 9 ✳
Noi e l'ambiente

Esercizio 4
1. riutilizzazione di materiali; 2. ripartizione della spazzatura secondo il materiale evitando di gettarla in un unico contenitore; 3. prodotti impacchettati in contenitori che si devono buttare; 4. sporcare, immettere nell'ambiente sostanze nocive; 5. complesso utilizzato per bruciare i rifiuti; 6. sostanza tossica

throw out
dirty
complex

Esercizio 5

Testo dell'ascolto
Intervistatrice: Grazie per il suo tempo. Innanzi tutto, perché fare la raccolta differenziata?
Burani: Per due motivi principalmente: se si riesce in parte a riusare ciò che si butta, si dovranno utilizzare meno risorse primarie per produrre altri prodotti, e in secondo luogo si diminuisce la quantità di rifiuti che finirebbe nelle discariche e negli inceneritori; il processo di incenerimento o smaltimento dei rifiuti produce sostanze tossiche, dannose all'ambiente.

dump

Intervistatrice: Quanto si riesce a riutilizzare?
Burani: Vetro, carta, ferro al 100%. Per gli oli industriali si recupera l'80%, gli oli alimentari si trasformano in concimi. Il legno viene riutilizzato al 100% e anche tutti i legni di potatura che diventano compost per

wood
pruning

Soluzioni degli esercizi

l'agricoltura. La plastica rimane un grosso problema perché si può riutilizzare solo un certo tipo di plastica, per esempio quella delle bottiglie dell'acqua, dei flaconi di de~cloth~tersivi e si producono dei sottoprodotti, per esempio panchine per i parchi ecc. Ma la gran parte della plastica non si può riutilizzare e questo crea un grande problema perché finisce negli inceneritori e rilascia diossina, una sostanza molto tossica e cancerogena.

detergents *benches* *dioxin*

Intervistatrice: Costa molto ai comuni gestire la raccolta differenziata?

run

Burani: Il ritorno della vendita dal recupero copre solamente in minima parte i costi della gestione. A livello nazionale ci sono dei consorzi, per esempio per la carta, per il vetro, per la plastica che fanno pagare una tassa ai produttori di queste materie e poi questa tassa viene usata per "dare un premio" economico agli imprenditori, negozianti eccetera che provano a fare la raccolta differenziata in modo appropriato. È un modo per incentivare questo tipo di iniziativa.

give a prize

Intervistatrice: Ma per il cittadino comune? Ci sono degli incentivi?

Burani: Per il momento non c'è molto. E si capisce che non è facile per molte persone che hanno problemi economici, di alloggio e altri pensare all'ambiente... fare qualcosa che in effetti non sembra avere molto a che fare con la loro vita di tutti i giorni.

housing

1V; 2F; 3F; 4V; 5V; 6F

Esercizio 6

Testo dell'ascolto

Intervistatrice: A parte il riciclaggio, che cosa si può fare per l'ambiente?

Burani: Innanzi tutto, cercare di produrre meno rifiuti. Cercare di ritornare un po' a come eravamo qui in Italia quando io sono cresciuto: si aggiustavano le cose, non si buttava via nulla che potesse servire; come succede nei paesi in via di sviluppo, purtroppo in un sistema che punta sul consumo a tutti i costi, questo discorso sembra strano, ma in molti pensano che se vogliamo lasciare un ambiente vivibile ai nostri figli, dobbiamo diminuire i consumi globali del pianeta.

above all

Poi ci sono delle cose semplici e pratiche che si possono fare senza troppi sforzi: spegnere sempre le luci quando si esce da una stanza, non lasciare gocciolare i rubinetti, fare la doccia invece che il bagno, chiudere il rubinetto mentre ci si spazzolano i denti, comprare macchine piccole e che non siano metallizzate, perché la ver-

drip taps *metal finish*

nice metallizzata è più tossica, ricordarsi di fare la spesa con borse di stoffa o perlomeno portare delle borse da casa così non se ne devono prendere altre al negozio, spegnere la spia degli apparecchi elettronici in casa, per esempio il televisore, fare il bucato in lavatrice a carico pieno. Piccole cose che però moltiplicate per milioni di persone possono fare una differenza.

cloth *pilot light* *Turn off* *Washing* *loaded* *released*

Intervistatrice: Grazie per l'intervista.

(Soluzioni suggerite)

1. cercare di riparare gli oggetti piuttosto che comprarne di nuovi; 2. spegnere sempre le luci quando si esce da una stanza; 3. non lasciare gocciolare i rubinetti mentre ci si spazzolano i denti; 4. fare la spesa con borse di stoffa; 5. spegnere la spia degli apparecchi elettronici in casa

Esercizio 7 *batteries*
(Soluzioni suggerite)

1. Le pile sono molto tossiche e se raggiungono la discarica possono inquinare il terreno; 2. Più plastica si riesce a riutilizzare meno ne finisce in mare; 3. È possibile riutilizzare quasi il 100% del vetro e della carta evitando di disperderli nell'ambiente

Esercizio 8
1. (tu) innaffia, (Lei) innaffi, (voi) innaffiate; 2. (tu) chiudi, (Lei) chiuda, (voi) chiudete; 3. (tu) fa', (Lei) faccia, (voi) fate; 4. (tu) usa, (Lei) usi, (voi) usate; 5. (tu) lava, (Lei) lavi, (voi) lavate; 6. (tu) utilizza, (Lei) utilizzi, (voi) utilizzate

Esercizio 9
1. bene; 2. diritto; 3. uso; 4. blu; 5. utilizzata; 6. attività; 7. possibile; 8. risorsa; 9. economici; 10. domanda; 11. aumentare; 12. dighe; 13. consumare; 14. risparmio; 15. responsabile; 16. responsabilità; 17. consumare

Esercizio 10
1. In India; 2. Di campagna; 3. La Coca-Cola e gli abitanti, specialmente le donne, del Kerala

Esercizio 11
1b; 2p; 3q; 4o; 5n; 6f; 7m; 8g; 9h; 10i; 11l; 12e; 13a; 14d; 15c

Esercizio 12
1. Circa 1,5 milioni; 2. Prosciugamento e inquinamento; 3. Per protestare contro il prosciugamento; 4. Solamente se utilizzava pompe a motore; 5. Ha utilizzato pompe elettriche; 6. Spiegazioni sul fatto che la Coca-Cola non ha rispettato l'accordo; 7. Perché era protetta

dal governo del Kerala; 8. Perché il movimento di protesta ha ottenuto la solidarietà nazionale e internazionale

Esercizio 13
1. Perché l'agente della frase non è definito; 2. Quando l'oggetto diretto è singolare, il verbo è coniugato alla terza persona singolare; quando l'oggetto diretto è plurale, il verbo è coniugato alla terza persona plurale

LAVORIAMO SULLA LINGUA

Esercizio 14
2. La plastica rimane un problema perché noi ne possiamo riutilizzare solo un certo tipo [...] e possiamo produrre dei sottoprodotti...; 3. La gente aggiustava le cose e non buttava via niente che potesse servire

Esercizio 15
1. si devono vuotare e schiacciare i contenitori; 2. non si deve introdurre carta in buste di plastica; 3. si devono vuotare e sciacquare i contenitori e non si deve introdurre ceramica; 4. si deve consegnare il materiale in sacchetti chiusi; 5. non si devono abbandonare i rifiuti fuori dai cassonetti; 6. si devono svuotare e piegare le scatole e i cartoni; 7. non si deve introdurre materiale riciclabile nel cassonetto dei rifiuti indifferenziati

Esercizio 16
1. si stampano; 2. si realizza; 3. si ricavano; 4. si risparmia; 5. si usa; 6. si fa; 7. si confeziona; 8. si fa; 9. si sottrae

Esercizio 17
1. (tu) non cacciare, (Lei) non cacci, (voi) non cacciate; 2. (tu) non usare, (Lei) non usi, (voi) non usate; 3. (tu) non abbandonare, (Lei) non abbandoni, (voi) non abbandonate; 4. (tu) non gettare, (Lei) non getti, (voi) non gettate

Esercizio 18
1. (tu) riempila, (Lei) la riempia, (voi) riempitela; 2. (tu) non lasciarli, (Lei) non li lasci, (voi) non lasciateli; 3. (tu) sceglile, (Lei) le scelga, (voi) sceglietele; 4. (tu) spegnile, (Lei) le spenga, (voi) spegnetele; 5. (tu) fallo, (Lei) lo faccia, (voi) fatelo

■■■RIEPILOGO GRAMMATICALE

Esercizio 1
1. si vive; 2. si cerca; 3. si trova; 4. è/viene recapitata; 5. si deve aspettare; 6. si trova; 7. si registra/viene registrato; 8. si trovano; 9. si risparmia; 10. si conduce

Esercizio 2
1. si producono/vengono prodotti; 2. si buttano/vengono buttate; 3. si possono; 4. si fanno; 5. si capiscono/vengono capite: 6. è/viene seguito; 7. si rispettano/vengono rispettate; 8. si trovano; 9. si accettano/vengono accettate; 10. si producono/vengono prodotte

Esercizio 3
1. La bellezza della vita si scopre dopo una malattia; 2. I resti dei passeggeri vengono cercati disperatamente; 3. Si beve molto alcool nel nord d'Europa; 4. Spesso si devono fare molti cambiamenti nella vita; 5. In quel negozio si comprano buoni prodotti

Esercizio 4
1. abbi; 2. perdiamo, facciamo; 3. offrite; 4. stia; 5. prendi; 6. facciano; 7. mangiare; 8. faccia, aspetti; 9. dia; 10. andate

Esercizio 5
1. rispettatela; 2. (Lei) li eviti; 3. non investirli; 4. non compratele; 5. acquistali; 6. leggetele; 7. non gettarla, riciclala, 8. spegnile; 9. li usi; 10. prendiamola

Esercizio 6
1. sui; 2. in, da; 3. sul; 4. a, d', da; 5. nella; 6. sui; 7. sulla; 8. a, da, al; 9. dagli; 10. sulla

TEMA 4
Noi e gli altri

Unità 10
Siamo tutti migranti

Esercizio 3

Testo dell'ascolto

Intervistatore: Quando sono emigrati i tuoi genitori?

Rosi Lazzari: I miei genitori sono emigrati in Australia negli anni '50. Prima è emigrato mio padre e dopo un paio di anni ha sposato mia madre per procura, e dopo qualche mese lei l'ha raggiunto.

Intervistatore: Per procura? Vuoi dire che si sono sposati a distanza?

Rosi Lazzari: Già, proprio così. Ma loro si conoscevano già dall'Italia, si erano conosciuti a Roma e poi mio padre aveva deciso di emigrare in Australia. Molti italiani si sono sposati per procura, e molti si conoscevano solo attraverso la foto. Strano, vero? Beh, una volta deciso di sposarsi si preparavano i documenti e poi si celebravano le nozze, sia in Australia sia in Italia, e gli sposi avevano al lato un amico o parente che faceva la parte dello sposo e un'amica o parente dall'altra parte del mondo che faceva la parte della sposa. Mio padre mi ha raccontato che ogni tanto c'erano delle belle sorprese quando finalmente gli sposi si incontravano...

Per continuare, mio padre ha lavorato per qualche anno nella costruzione della ferrovia nel Queensland, un lavoro molto duro, lunghe ore di lavoro e molta solitudine perché i lavoratori erano tutti uomini soli, essendo costretti a lavorare molto lontani da casa, anche chi di loro aveva una famiglia viveva lontano da essa. Molti erano emigrati e non avevano una famiglia in Australia.

Con l'arrivo di mia madre le cose per mio padre sono molto cambiate perché con i soldi che aveva messo da parte aveva comprato una casetta a Canberra e ha incominciato a lavorare lì. Dopo un paio di anni sono nata io e poi più tardi mia sorella. Mia madre faceva la sarta e lavorava a cottimo a casa per una ditta tessile, così poteva stare a casa e prendersi cura di noi bambine. I primi anni per lei sono stati duri perché non parlava inglese e si sentiva molto sola, sempre in casa a cucire e nessuno con cui scambiare due parole, poi pian piano ha incominciato a parlare con le vicine, ha preso la patente e così ha incominciato a essere più indipendente.

In casa si parlava italiano, si mangiava italiano e le persone che frequentavano la mia famiglia erano italiane. I nostri vicini erano invece di varie nazionalità, inglesi, iugoslavi, greci, alcuni parlavano un inglese tutto loro e così anche mia madre non si vergognava se non parlava inglese perfettamente, tanto erano tutti nella stessa situazione, l'importante era capirsi...

Io ho cominciato a parlare inglese quando ho iniziato la scuola. A scuola c'erano altre ragazze italiane, ma tra di noi dovevamo parlare inglese perché a quel tempo c'era molta intolleranza verso gli immigrati e ci proibivano di parlare la nostra lingua. Nel complesso la cosa non ci pesava molto perché dopo i primi tempi era per noi molto normale parlare inglese fuori di casa e italiano in casa.

Intervistatore: Ti sentivi diversa dalle tue compagne?

Rosi Lazzari: Beh, non so se mi sentissi diversa, in fondo stavamo tutte bene insieme; solamente quando era l'ora del pranzo io e mia sorella ci sentivamo diverse perché quando aprivamo il nostro *lunch box*, il cestino dove avevamo il pranzo (in Australia non ci sono le mense scolastiche), ecco, io e mia sorella avevamo degli enormi panini – sai le rosette con dentro del salame, del formaggio, a volte la cotoletta –, mentre le altre, le anglosassoni, tiravano fuori i loro tramezzini con il *vegimate* o con il *peanut-butter*, cioè il burro di arachidi, ma allora noi non sapevamo che si chiamava così in italiano, mia madre non l'aveva mai visto prima e quindi anche per lei era *peanut-butter* e basta, o nei panini c'erano le rondelle di banana, erano fatti con il pane a cassetta, sembravano così appetitosi, così eleganti... Un giorno mia madre non stava bene e allora ho preparato io il nostro pranzo e così ho fatto un sandwich alla banana e ci ho messo anche il burro di arachidi... all'ora del pranzo con molto orgoglio ho tirato fuori il mio bel sandwich e... beh, mia sorella quasi l'ha sputato il primo boccone, forse non ci avrei dovuto mettere il burro di arachidi... comunque abbiamo rimpianto il nostro bel panino al salame.

E poi quando andavamo al mare a fare un pic-nic... Non ti dico! Il nostro non era un pic-nic, era un pranzo bello e buono. La macchina era carica di pentole, piatti, tovaglie, tavolini pieghevoli, sedie... altro che pic-nic. Quando arrivavamo sul posto, ci mettevamo un'ora a scaricare e preparare tutto: c'erano la pasta, il secondo con verdure cotte e crude, dolci, formaggi, vino, gelato e naturalmente il caffè. Io guardavo gli inglesi che mettevano per terra la loro copertina, tiravano fuori i loro panini e tutto finiva lì, poi se ne andavano a nuotare o a giocare. Noi, invece, seduti a mangiare come se fossimo nella nostra sala da pranzo! E poi i genitori che dicevano: "Niente bagno subito dopo mangiato! Dovete aspettare due ore!"... Però ci divertivamo lo stesso ad ascoltare i miei e i loro amici mentre chiacchieravano, ridevano e qualche volta cantavano. E poi... vuoi mettere un bel piatto di pasta al forno rispetto a un panino?

Intervistatore: Si dice che crescere tra due culture può creare uno scontro generazionale, che cosa ne pensi?

Rosi Lazzari: Noi siamo state fortunate, i nostri genitori erano aperti e loro stessi si sono adattati a un modo di vita diverso e quindi ci hanno permesso di vivere come tutte le ragazzine della nostra età, certo dando dei limiti come dovrebbero fare tutti i genitori ma senza farci sentire diverse dai nostri amici. Io sono sempre andata a fare campeggio con i miei amici, dopo scuola potevo ogni tanto dormire a casa di un'amica e anche le mie amiche potevano dormire a casa nostra. Avevo amici maschi con cui uscivo senza problemi. Diciamo che ho potuto avere il bello di tutte e due le culture, sono fortunata, altre ragazze hanno avuto la vita più difficile e non potevano essere libere come avrebbero voluto e si sono dovute fidanzare per poter uscire con un ragazzo... eccetera.

Intervistatore: Parli benissimo l'italiano, molti figli di italiani lo parlano poco e male come sai; come hai fatto a mantenerlo?

Rosi Lazzari: Come ho detto, a casa nostra si parlava sempre e solo italiano. Io ero molto orgogliosa di poter parlare un'altra lingua e fin da piccola ho incominciato a leggere libri in italiano, poi all'Università ho studiato italiano e poi ho deciso di formarmi per diventare interprete e lavoro come tale per il sistema sanitario statale. È fondamentale trasmettere ai figli l'importanza di parlare la propria lingua e questo li aiuta anche a imparare meglio la lingua del posto. Io mi sento proprio un'italo-australiana, mi piacciono tante cose dell'Australia e così anche tante cose dell'Italia, diciamo che posso vivere tranquillamente qui e là senza crisi di identità: sono fortunata a poter avere questa possibilità.

Esercizio 5
Parte 1

L'intervistatore ha chiesto quando i suoi genitori erano emigrati in Australia.

Rosi ha risposto che i suoi genitori erano emigrati in Australia negli ani '50. Prima era emigrato suo padre e dopo un paio di anni aveva sposato sua madre per procura e dopo qualche mese lei l'aveva raggiunto. Suo padre aveva lavorato per qualche anno nella costruzione della ferrovia nel Queensland, un lavoro molto duro e causa di molta solitudine; molti erano emigrati e non avevano una famiglia in Australia.

Con l'arrivo di sua madre le cose per suo padre erano molto cambiate perché con i soldi che aveva messo da parte aveva comprato una casetta a Canberra e aveva cominciato a lavorare lì. Dopo un paio di anni era nata lei e più tardi sua sorella. Sua madre faceva la sarta e lavorava a cottimo a casa per una ditta tessile, così poteva stare a casa e prendersi cura delle bambine.

Parte 2

L'intervistatore ha domandato se si sentiva diversa dalle sue compagne.

Rosi ha risposto che non sapeva se si sentisse diversa, in fondo stavano tutte bene insieme, solamente quando era l'ora del pranzo lei e sua sorella si sentivano diverse perché quando aprivano il loro *lunch-box,* il cestino dove avevano il pranzo, lei e sua sorella avevano degli enormi panini, le rosette con dentro salame, formaggio, a volte la cotoletta, mentre le altre, le anglosassoni, tiravano fuori i loro tramezzini con il *vegimite* o con il *peanut-butter* che sembravano così appetitosi ed eleganti.

Esercizi 9
1b; 2a; 3c; 4b; 5b

Esercizio 10
1. e; 2. tuttavia, però, ma; 3. così; 4. se; 5. poi; 6. perché; 7. nonostante; 8. infatti; 9. come

Esercizio 11
1d; 2e; 3h; 4a; 5g; 6f; 7b; 8c

Esercizio 12
(Soluzione suggerita)
a; d; b; c; e; h; g; f

LAVORIAMO SULLA LINGUA

Esercizio 13

1. Annamaria ha detto che quando si erano conosciuti a casa di amici, lui le era sembrato molto triste e pensieroso così gli era andata vicino e aveva cominciato a parlargli. Poi alla fine della serata gli aveva lasciato il suo numero di telefono e ricorda di avergli detto che, se voleva parlare un po' con lei, avrebbe potuto chiamarla. Dopo una settimana lui l'aveva chiamata ed erano usciti. La loro storia era cominciata così.

2. Njenga ricorda che tutti i suoi documenti erano in inglese, una lingua che dovrebbe essere internazionale ormai, ma non andavano bene: dovevano essere tradotti in italiano e la traduzione doveva essere fatta dall'ambasciata italiana in Kenia. Fortunatamente, li aveva aiutati un funzionario disponibile, però il loro rapporto con la burocrazia italiana non era finito perché nonostante lui fosse sposato con Annamaria da due anni e il periodo richiesto dalla legge fosse di sei mesi, era ancora in attesa della cittadinanza italiana.

3. Annamaria dice che alcuni le chiedevano se era un clandestino, altri se lavorava in nero, alcuni la mettevano in guardia nel caso lui avesse voluto usarla per ottenere un visto. Annamaria aggiunge che Njenga era diplomato ai hi ora lavorava in fabbrica e il suo socio era di iscriversi all'università part-time per diventare ingegnere.

4. Annamaria spiega che vive lontana dai suoi da tanto tempo e la prima volta che aveva parlato loro di Njenga l'aveva fatto per lettera. Non per mancanza di coraggio, ma perché poteva così spiegare meglio che cosa provava per lui; inoltre, i suoi genitori la conoscevano troppo bene e sapevano benissimo che non avrebbero mai potuto farle cambiare idea. Anche i genitori di Njenga all'inizio non erano entusiasti, ma poi l'avevano conosciuta e l'avevano accettata, con tutto il loro affetto, con il cuore.

5. Annamaria dice che era stata un mese in Kenia con loro e aveva scoperto un mondo molto bello, dove forse avrebbe potuto vivere serena.

Esercizio 14

1. a) di stare attento, b) che stesse attento; 2. a) di tornare nel suo paese perché suo padre era anziano, b) che tornasse nel suo paese...; 3. a) di andarmene [...] ma di non dimenticarla, b) che me ne andassi [...] ma che non la dimenticassi; 4. a) di imparare [...] ma con lei di parlare, b) che imparassimo [...] ma con lei parlassimo; 5. a) di vestirmi, b) che mi vestissi; 6. a) di non andare, b) che non andassimo; 7. a) di lasciarla, b) che la lasciassimo; 8. a) di lasciare perdere, b) che lasciassi perdere

Esercizio 15

1. perché; 2. finché; 3. perché/affinché; 4. affinché; 5. affinché/perché; 6. finché; 7. benché; 8. come se; 9. anche se; 10. dopo che; 11. a meno che; 12. sebbene; 13. quindi; 14. infatti; 15. perché; 16. quando

■■ RIEPILOGO GRAMMATICALE

Esercizio 1

1. La mamma ci ordinò di non fare rumore; 2. Lucy mi ha chiesto quando tornavo a Roma; 3. Mio padre ci ha detto che il giorno prima era andato in centro e aveva incontrato un suo vecchio amico; 4. La professoressa ieri ci ha detto che il giorno successivo avrebbero fatto esercitazioni sull'imperativo; 5. La madre di Maria le ha chiesto perché non era andata a scuola; 6. Il medico mi ha detto che la mia malattia non era grave; 7. La signora ci ha avvertito di fare attenzione al suo cane perché mordeva; 8. La mia amica mi ha chiesto se mi sarebbe interessato un lavoro *part-time*; 9. Alla posta ho domandato dove erano i moduli per una raccomandata; 10. Mjriam ha urlato di stare attenta alla motocicletta

Esercizio 2

1. Mio marito mi disse: "Torno tardi"; 2. Al momento dei saluti ho chiesto a Maja: "Quando tornerai in Italia?"; 3. L'insegnante mi disse: "Parla al tuo amico e convincilo a frequentare il corso di italiano!"; 4. All'uscita, dopo il concerto ho chiesto al mio amico: "Come ti è sembrato il gruppo?"; 5. Prima di uscire ho chiesto a mio padre: "Devo comprarti qualche cosa?"; 6. Il ministro delle Finanze ha detto in un'intervista: "Bisogna ridurre la spesa pubblica!"; 7. La mia migliore amica mi chiese: "Non dire niente a nessuno di ciò che ti ho raccontato!"; 8. Giovanni ha detto più di una volta: "Non ne posso più del mio lavoro!"; 9. Le associazioni degli immigrati hanno detto: "Vogliamo il diritto al voto amministrativo!"; 10. Ho chiesto ai miei studenti: "C'è qualcuno che sa suonare uno strumento?"

Esercizio 3

1. Ha detto che era stato a Parigi e che sarebbe andato anche a Berlino; 2. Disse che credeva che sarebbe arrivato in treno; 3. Ha detto che era meglio preparare il pranzo prima che arrivassero i loro amici; 4. Disse che appena poteva avrebbe comprato una bicicletta a sua sorella; 5. Ha detto che era stata al mare perché il sole e l'acqua salata le fanno molto bene alle spalle; 6. Disse che in due soli mesi le/gli sembrava strano che io avessi imparato così bene l'italiano; 7. Ha detto che preferiva prendere il treno perché non gli/le piaceva usare la macchina; 8. Disse che era molto stanco che faceva una doccia e andava subito a letto; 9. Ha detto che secondo lui/lei era colpa mia perché dovevo/avrei dovuto dirgli la verità da subito; 10. Disse che Maria non stava bene e non sarebbe potuta venire alla mia festa di compleanno

Esercizio 4

1. Ha detto a noi ragazze di prepararci che partivamo subito; 2. Ha detto di non andare via e di restare ancora un po' lì; 3. Disse di abbassare il volume della musica perché era già mezzanotte; 4. Disse di andare nel suo ufficio; 5. Disse che la sua casa era sempre aperta a tutti i suoi amici

Esercizio 5

1. prima che; 2. sebbene; 3. purché; 4. quindi; 5. neanche; 6. a patto che/purché; 7. ma; 8. sebbene/nonostante; 9. a patto che; 10. perché/affinché